해군가족의 제/주/살/이

탐라국

412일

저자 이정숙

해군 남편을 둔 아내로 각 지역을 이사 다니며 두 딸과 멍멍이, 야옹이를 육아 중인 공황장애 환자입니다. 남편과 떨어져 혼자 육아하는 일이 잦고 낯선 곳으로 이사 다니며 사람들과의 이별을 정해놓고 살지만, 헤어진 인연도, 새롭게 만나는 인연도 내 마음 닳도록 진심입니다.

지난날의 힘듦이 싫어서 아이들에게 훌륭한 엄마는 되지 못하더라도, 힘든 일이 생겼을 때 언제든지 마음의 노크를 두드려 볼 수 있는 엄마가 되고자 노력하는 마음으로 활주로에 발을 내디뎌 봅니다.

그림 한정윤, 한서윤
사진 이정숙, 한대웅, 한정윤

해군가족의 제/주/살/이

탐라국 412일

이정숙

책 / 소 / 개

해군 남편을 따라 늘 이방인처럼 살다가 떠나는 우리 가족이 이번에는 탐라국으로 왔다. 주변인들이 모두 부러워하는 제주살이지만 이사 다닐 때마다 늘어나는 불안으로 마냥 기쁘지만은 않다.

제주에서 처음으로 워킹맘의 삶을 살아보고
제주에서 새로운 가족을 만나고
제주에서 아이들과 여행하면서

주제를 분류하지 않고 흘러간 나의 시간 속에서 내가 느낀 제주 이야기와 누군가에게 하고 싶었던 412일간의 이야기를 기록한 글이다.

서문

해군 가족으로 살아가기

제주로 발령받아 이사 왔지만

다시 서울로 발령받고 가버린 남편

제주에서 워킹맘으로 지낸 봄, 여름, 가을, 겨울과

다시 맞이한 봄의 기록 412일

불안장애, 공황장애, 광장공포증으로

우울증약을 반려 약으로 삼으며 낯선 제주에서 적응하고 새로운 직업에 적응하면서 처음으로 워킹맘으로 살아보기

우리 가족의 탄생부터 함께했던 반려견 앙꼬

제주에서 새로운 가족이 된 길고양이 모찌

2017년생, 2020년생 자매의 성장과 개아들과 냥아들 육아 이야기

그리고 엄마 이정숙. 나의 이야기

6개월은 남편과 함께, 8개월은 홀로 가족을 돌보면서 나를 찾았다가 나를 잃어버렸다가 혼돈 속에서 또 결국 제자리걸음인 듯한 나를 발견한다.

조금 익숙해질 만하면 이사를 떠나야 하는 군인 가족. 가족 행사는 물론이고 임신과 출산마저 남편이 곁에 있는 것은 운이 따라줘야 한다는 우스갯소리 반, 실제상황 반을 경험 중인 해군 가족이다.

아빠가 부재한 것은 엄마만의 불편과 불안이 아니라 아이들에게도 마찬가지다.

그리고 언제 어떻게 아빠가 부재할지 모르므로 양가 조부모님 중 누군가가 도와주시지 않는 군 가정에서 엄마가 직업을 가진다는 것은 도박이나 사치스럽기까지 하다. 어느 가정이든 아이가 어릴수록 어려움이 크지만, 나라의 부름에 가버리고 나면 가정과 뒷일은 아내의 몫으로 사는 가정이 대부분이기에.

원해서 가는 이사도 아닌데 낯선 곳으로 가야만 하고, 아이들 챙겨가며 남편 없이 홀로 이사 가는 경우도 많은 군인 가정들. 그리고 아빠와 떨어져 기러기 가족으로 언제든 지낼 수 있음을 감수해야 한다.

어린 시절의 내가 겪은 힘듦은 성인이 되어 불안으로 잠재했다. 그게 불안인지도 모를 정도로 스스로 통제되고 억눌렀던 무언가들이, 내가 의식하지 못한 사이 신체적 반응으로 튕겨 나왔다. 공황을 거듭할수록 더 쉽게 찾아오는 증상들을 약으로나마 조절하면서 안고 살아가는 중이다.

내가 가진 불안은 이사 다닐수록, 남편이 부재할수록 증폭되었다.

아이들은 내가 겪은 힘듦을 되도록 경험하지 않았으면, 그리고 언젠가 겪어야 한다면 스스로 이겨낼 건강한 힘을 길러 지혜롭게 살아갔으면 하는 바람이 강했다. 나의 결핍이 대물림하지 않도록 애쓰고 아빠의 빈자리를 덜 느낄 수 있도록 애쓰다 보면 과긴장 속에 지내고 있는 나를 보게 된다.

제주도 발령 소식에 주변인들의 부러움을 한껏 받았지만 정작 나는 제주에서 지내는 동안 약이 두 배로 늘었다.

남편이 먼저 육지로 떠나고 8개월의 시간,

혼자 고군분투하며 느낀 제주의 계절은 그럼에도 불구하고 예쁨 가득이다.

내 아이들처럼.

차례

1장

귤꽃

어느 봄날의 향기를 따라...

2장

배롱나무꽃

피고 지고 또 피우고...

3장

억새

바람 따라 흔들리는 은빛 물결...

3장

억새

바람 따라 흔들리는 은빛 물결...

4장

동백꽃

설경 속에도 아름다운…

4장

동백꽃

설경 속에도 아름다운...

5장

유채꽃

온 세상을 노랗게...

5장

유채꽃

온 세상을 노랗게...

1장.

귤꽃

어느 봄날의 향기를 따라...

제주에 입도하던 날

4월 3일. 진해-고흥-제주-서귀포

남편에게 두 딸과 진해관사의 뒷마무리를 맡기고 이른 새벽에 고흥 녹동항으로 향했다. 차에는 청소도구와 하룻밤 묵을 간단한 짐, 그리고 이불 한 채를 싣고 앙꼬랑 둘이 하루 먼저 입도하는 길이다.

무겁고 이동이 불편한 켄넬 대신 바퀴가 달린 카트에 방석을 깔아주고 덮개를 닫아서 끌고 왔더니 앙꼬도 나도 서로 편하게 이동했다. 뱃멀미 없이 낯설지만 짖지 않고 얌전히 잘 동행해준 앙꼬에게 고마울 따름이다.

제주항에서 서귀포 넘어가는 길에 4.3행사를 마친 공원을 지나 사려니숲 앞을 지나왔다.

쭉 뻗은 나무가 역시나 멋지다.

집 근처 다 와 가는데 트럭을 몰고 가던 할아버지가 차선을 변경하면서 내 차를 박았다.

앙꼬는 굴러떨어지고 나도 놀랐다.

다치지 않았지만 이미 놀란 마음으로 경찰과 보험사에서 올 때까지 기다리는데 나더러 과실이라면서 개를 안고 운전했다고 소리치는 할아버지셨다. 불안증세가 나타났다. 놀란 앙꼬를 살피느라 안고 있던 모습을 보신 것뿐, 앙꼬를 안고 운전하지도 않았다. 곧 도착한 보험사도 경찰도 사각지대를 못 보고 차선 변경한 할아버지 잘못이라고 했다. 차에 있던 안정제를 먹고 한 시간 가까이 길가에서 쉬다가 앙꼬와 마냥 밖에 있을 수 없어 거리가 얼마 남지 않은 집 주소를 찾아왔다.

직접 와볼 수가 없어 사진으로만 봤던 내가 살 집을 이사 와서야 처음으로 보게 되다니.

남편 대신 관사를 대신 봐주신 분이 입주 청소는 따로 안 해도 될 것 같다고 했는데 생각보다 지저분했다.

입주 청소를 급하게 알아봐도 당일 스케줄 잡히는 곳도 없었지만, 육지보다 비싼 입주청소비에 깜짝 놀랐다. 방법이 없어 첫날부터 10시간 넘게 청소만 했다.

오는 길 사고와 무리한 청소 덕분에 온몸이 힘들었다. 차에 싣고 온 이불 하나 배게 하나, 앙꼬한테 의지해서 하룻밤 잠을 청했다.

입도 첫날부터 이벤트가 생겨서인지 오자마자 이전 집이 그리워질 뻔했다.

제주살이의 시작

남편은 이전 집에서 이삿짐 싸는 것을 확인하고 퇴거 점검을 받고 오느라 아이들과 하루 늦게 입도했다. 이삿짐을 들여놓고 잠자야 할 방만 대충 정리해두고 아이들과 집 앞을 산책했다.

천지연폭포로 흘러가는 솜반천이 근처에 흐르고 있었다. 비가 와서 다 떨어진 벚꽃이 아쉽지만, 너무 멋진 산책로가 집이랑 연결돼 있다니! 비 오고 나면 건천에 계곡물 흐르는 소리가 들리고, 눈뜨면 예쁜 새소리가, 거실 커튼을 걷으면 야자수 나무가, 주방 창 너머엔 귤나무들이 우리 집을 감싸고 있었다.

제주 여행 올 땐 마냥 좋았던 것들이 이사하고 정신없어서 그런지 아직 실감이 잘 나지 않지만 그래도 제주도에 왔다는 느낌을 들게 했다.

우리 모두 적응기

제주에서 첫 등원을 했던 아이들과 하원 후 집에서 가까운 걸매생태 공원으로 산책하러 다녀왔다. 동네 공원인가보다 하고 왔는데, 왜 이래? 너무 좋잖아! 주변이 온통 자연과 함께였고 거닐다 스파이더맨 얼굴처럼 생긴 나뭇잎도 발견했다. 아이들은 여행 온 것처럼 신났다. 그런 모습을 보니 제주도 온 게 잘 된 거구나 싶다.

육지에서 이사가 결정되었을 때 원에 대한 정보를 알아보려고 해도 제주도는 다른 지역에 비해 온라인 커뮤니티 정보교류가 부족한 편이었다. 이곳저곳 전화를 돌려봐도 자리가 없거나 전화상으로 아이들이 다닐 곳을 결정 내리기가 어려웠다.

이사를 온 시기에도 여전히 유치원은 자리가 없었고, 둘이 함께 다닐 수 있는 어린이집으로 결정하게 되었다. 첫째의 첫 등원은 재원생처럼 생활을 잘했고, 둘째의 첫 등원은 적응기라는 것이 무색할 만큼 잘 지냈고, 간식도 잘 먹었다고 하셨다. 낮잠을 자기 직전에 엄마를 찾으며 잠깐 울먹였지만, 선생님이 토닥여주자 금세 달래어지고 잠들었단다. 내일은 엄마가 교실에 들어가지 않고 현관 앞에서 안녕하기로 했다. 이사 다니면서 나의 가장 큰 걱정 중 하나가 원을 계속 옮기는 것이었는데 잘해주고 온 아이들이 고맙다.

랜선 집들이

조금씩 정리 되어가는 집. 창문을 열면 들리는 새소리가 너무 예뻐 영상에 담아 친구들에게 공유했다. 사진 몇 장으로 랜선 집들이가 되었다. 제주도에 여행 오는 나의 친구들과 가족들을 언젠가 초대할 기회가 있겠지.

서홍동의 벚꽃명소 웃물교

숨은 벚꽃명소였다가 근래부터 유명해지고 있다는 집 근처 웃물교. 제주 이사 소식 접하고 집 근처 정보를 찾아보다가 알게 되어 와보

고 싶었다. 비에 꽃잎이 대부분 떨어져 벚꽃엔딩이었지만 유채꽃만으로도 예쁜 길이었다. 엄마 아빠와 함께 산책 나와서 기분 좋은 앙꼬야, 오래오래 나란히 걷자.

검은 모래 하효쇠소깍 해수욕장

쇠소깍 하천이 바다와 닿는 곳에 주말 나들이로 유부초밥과 간식을 챙겨 나왔다. 아이들이 검은 모래로 놀이할 동안 앙꼬는 자꾸 모래를 먹어서 입 주변이 엉망이 되고 우리 부부는 아이들을 살피기보다 앙꼬 입 털어주기 바빴다. 개오빠 이러지 마!

제주에서 워킹맘 도전기

아이를 낳고부터 나에게 직업이 사라졌다.

출산과 육아를 일과 병행하기 힘들어서? 그보다 군인 가족으로 1~2년 사이에 이사 가야 하는 이유로 어떤 일을 시작할 수가 없었다. 한 지역에서 얼마나 머물 수 있는지 알 수 없고, 남편이 언제 어떻게 자릴 비울지 모른다. 지역을 돌다 보면 도움을 요청할 양가 부모님과의 거리가 그나마 가까울 때도 있지만 대부분 멀었다. 짧게 근무하다 갑자기 이사 가버리는 사람을 쓰고 싶은 곳은 없을 테니까. 그건 피해가 될 수도 있기에 직업을 갖기가 힘들다.

아이가 열이 나기라도 하면 돌봄은 당연하게 나의 몫이다. 경제적으로나 나의 자아실현을 위해서 일을 하는 게 좋겠다는 마음은 여러 번 들었지만 선택지? 선택권? 그런 건 하나도 없었다.

한동안 이사 다니면서 긴 기간 동안 근무하지 않아도 되는 곳이 어디 있을까에 대한 고민을 했었다. 직업을 가지기에 유리한 조건이 없던 내가 도전할 수 있는 것에는 무엇이 있을지에 대한 고민도 많았다.

그러다가 진해에서 국비 지원으로 바리스타 2급 자격반 과정을 배우고 자격증을 땄다. 아이들이 등원한 사이 잠깐 몇 시간씩 알바라도 할 수 있지 않을까 기대도 했다. 그런데 제시하는 나이 조건이 늘 아슬아슬하거나 원하는 나이대가 아니었다. 서른 후반을 카페에서 초보로 채용하려는 곳이 잘 없었고 내가 일할 수 있는 근무시간도 잘 없었다.

결론은 내가 일할 곳이 없었다.

그런 내가 제주도에 이사 오기 전부터 혹시나 하고 일자리를 알아봤다. 원하는 인재가 명확한 곳들도 많지만, 마을버스가 자주 지나다니지 않는 조용한 동네들은 자차로 출근할 수 있는 여건이 된다면 면접 볼 기회가 유리해지는 분위기였다.

근무시간 대가 너무 좋아서 일하면 좋겠다 싶은 곳, 입도 전부터 곧 이사 예정이고 자차 출근할 수 있다고 어필해 둔 곳에 면접을 보고 왔다.

일하고 있던 친구들이 모두 나보다 어려 보이던데, 나에게도 일할 기회를 줄 수 있을까?

첫 출근날

아주 다행스럽게도 출근하라는 연락이 왔다. 긴장되고 설레는 마음으로 약속된 날짜에 첫 출근을 했다.

긴장이 무색하게도 앞으로 해야 하는 일을 잠깐 배우고는 가게 사정으로 2시간 만에 퇴근하게 되었다.

응? 출근하자마자 곧 퇴근하라고? 앗싸!

나의 일터는 통창 넘어 뒷마당에는 이국적인 소철나무가 가득하고 한라산이 보인다.

이탈리아 로마식 피자인 핀사가 주메뉴인 캐주얼 레스토랑이다. 서울 연남동에 있던 이탈리아 레스토랑이 몇 년 전 제주로 옮겨오면서 핀사 전문 레스토랑으로 오픈했다고 한다. 원래 사장님은 이탈리아 분이셨고 한국인 아내와 코로나19 이후 스페인으로 가시게 되었단다.

THRILLS

그리고 가게를 함께 운영하던 가족분이 현재의 사장님이 되었다. 내가 근무하는 동안에도 이전 사장님과 가족들이 가게에 다녀가시기도 했다.

어린 동생들이 나의 동료다. 10시 30분에 출근해서 5시면 퇴근하는, 근무시간 자체가 복지인 이곳의 분위기가 처음부터 마음에 들었다.

황우지해안의 선녀탕과 외돌개

남편과 시간이 맞아 하원 시간 전 둘이 함께 황우지해안을 따라 쭈욱 걸었다. 흐린 날씨였음에도 선녀탕에서 외돌개까지 이어지는 해안가의 바다색이 너무 멋있었다. 어느 바위 위에 누워 사진 찍어달라고 했다. 말릴 줄 알았는데 열심히 사진 찍어주는 짝꿍이다.

내 일터가 있는 곳, 대평리

출근하면서 매일 보는 대평포구와 박수기정이 멋진 대평리 마을이 내 일터가 있는 곳이다.나는 반죽하고 이틀에 걸쳐 숙성한 포카치아를 굽고 핀사를 만든다. 이런 일을 경험하는 것 자체로도 즐거움을 느꼈다. 경단녀에서 수년 만에 직업을 가졌고 나도 경제활동을 하게 되었다는 기쁨이 생겼다.애견의류 디자이너, 방송대 가정학과 튜터, 유·아동 악세서리 제작 판매, 그 외 몇 가지의 직업을 경험했었지만 내 직업에 요리사 단어가 새겨질 줄이야. 보조라고 하기엔 핀사를 모두 만들어야 하고, 셰프라고 하기엔 부족한 것 같지만 앞으로 잘 채워 나가보려 한다. 나의 믿음직한 사수에게 좋은 주방 메이트가 되어봐야지!

일곱 번째 결혼기념일

오늘은 우리 부부의 결혼기념일을 자축하며 저녁 식사하러 그랜드 조선 호텔에 다녀왔다.

동심 저격 키즈 코너에 푹 빠진 아이들은 음식을 먹는 내내 들떠있었다. 아이스크림콘에 아이들이 좋아할 젤리며 초콜릿을 얹어 나의 취향대로 장식해 줬더니 엄마 최고라 하면서 엄지를 치켜세웠다. 엄마, 아빠 둘만 데이트하지 않고 아이들도 함께 오길 잘했다.

식사 후 산책 내내 아이들 웃음소리가 끊이질 않았다. 엄마 아빠의 11년의 만남과 결혼 7주년의 결실이 너무 즐거워하고 행복한 모습의 예쁜 자매들이라니! 아주 참 대단하고 멋진 결실이 아닐 수 없다. 집에 와서 사진첩을 보니 우리 부부의 사진은 없고 아이들 사진만 가득했다.

한반도 포토존 큰엉해안경승지

4월의 어느 주말, 바깥으로 나가고 싶어 하는 둘째 덕분에 다녀왔

던 큰엉해안경승지는 아이들도 걷기 좋은 해안 산책로였다. 나무가 자라 한반도 모양을 한 숲과 바다 경치가 멋진 곳이었는데, 때마다 나뭇잎 자라는 것이 달라서인지 우리가 갔던 시기는 한반도라고 하기엔 조금 아쉬운 모습이었다.

귤꽃 향기를 담아가고 싶어

감귤나무에서 꽃향기가 진하게 나는 집 앞. 태어나 처음 보고 맡아 본 귤꽃 향기가 너무너무 좋다. 나의 친구들에게 귤꽃 향기를 느끼게

해주고 싶다는 생각을 했었다. 그런데 어느 날 첫째가

"엄마! 휴대폰에 귤꽃냄새를 담아 다니고 싶어~"라고 했다. 너에게도 이 향기가 너무 매력적이었구나. 엄마 마음과 똑같네?

출퇴근 길에도 달리는 차 안에서 창문 넘어 귤꽃 향기가 느껴지면 깊게 숨을 들이마셔 본다.

처음이라 불편한 제주생활

제주에서의 한 달쯤 살고 보니 육지에서 접하지 못하는 제주만의 자연과 볼거리가 아니라면 생활 환경이 썩 좋은 편은 아닌 것 같다는 생각이 들 때가 있다.식재료를 포함한 물가와 외식비는 비싸고, 일자리도 한정적이고, 필요한 물건을 구하기가 상대적으로 쉽지 않고, 기술을 요하는 업체들은 내가 알던 금액보다 값을 더 치러야 하거나 그만한 돈을 냈음에도 일 처리가 만족스럽지 않은 경우가 제법 있었다.무료배송인 택배 상품들도 추가 배송비를 더 지불 해야 하거나 그마저도 불가한 경우도 많다. 추가 배송비도 금액대가 다양했다. 쿠팡 로켓프레쉬는 서비스가 불가한 지역이고 하루 만에 받을 수 있는 로켓배송 상품들도 2일 후에 받을 수 있다. 하지만 육지보다는 느려도 제주에 로켓 배송이 되다니. 너무 감사할 따름이다.4월의 제주는 비가 잦았다. 날씨 변화가 심하고 바람도 많이 분다. 잦은 비로 제습기는 필수 가전이다.로터리가 많은 곳에서 질서가 엉망인 경우도 많았고 운전이 미숙한 렌트 차량이 많아서인지 운전실력이 엉망인 차들도 많았다. 신호등이 없는 사거리에서 먼저 가려고 하는 차들, 넓은 차선에서 속도와 차선변경이 제멋대로인 차들이 많다. 안전 운전을 위해 방어운전에 더 신경을 쓰며 차를 몰아야 했다. 풍경이 예쁜 곳이나 한적한 길에서 제주를 느끼려는 차량의 느린 속도에 답답함을 느낄 때도 있다.

그리고 주차하고 내릴 때 바람이 많이 부는 날이라면 반드시 조심해야 한다. 출근 때 주차하고 내리다가 강풍이 불어 차 문이 휙~하고 세게 열려 같이 일하는 동생 차에 흠집을 낸 적이 있다. 또, 마트에서 장보고 차에 싣는 동안 바람이 많이 불어 카트가 굴러 가버린 적도 있다. 다른 차에 부딪히는 사고가 날까 봐 굴러가는 카트 잡으러 뛰어가는데 식은땀이 어찌나 나던지. 육지에서 넘어온 사람들이 얘기하길, 제주도 생활은 딱 1~2년까지만 좋고, 섬 생활이 불편하고 답답하고 지겨워 다시 육지로 나가는 경우가 많단다. 좋은 것도 너무 많고 불편한 것도 너무 많은 제주에서의 생활은 여행 왔을 때와는 다르다는 것을 실감하는 중이다.

제주도에서 토요일은 아빠 데이

화요일부터 토요일까지 근무하는 엄마를 대신해 토요일은 아빠와 시간을 보내게 된 아이들.아빠 데이에 감귤박물관 다녀온 아이들이 마귀할멈 손을 닮은 귤이 있고 배보다 크고 수박보다는 작은 큰 귤이 있었다며 함께 못 간 엄마에게 이야기 나눠주었다.황사로 미세먼지가 심했던 어느 토요일에는 서귀포 기적의 도서관에서 놀다 왔다는 꼬마들이 공룡 색칠 놀이를 하고 화면에 띄워보았단다. 첫째가 요즘 좋아하는 마법 천자문도 5권 빌려왔다고 퇴근한 엄마 옆에서 조잘댄다. 엄마 없이도 아빠와 즐거운 시간을 보내고 왔구나.

세계자동차&피아노 박물관의 곶자왈과 사슴

토요일에 혼자 육아하는 남편을 대신해 일요일은 엄마와 나들이 다녀보기로 했다.

세계자동차&피아노 박물관에 입장하면 방목된 사슴들 공간 뒤로 곶자왈 산책로가 있다. 제주의 허파 곶자왈에는 어떤 식물이 있는지 관찰하자며 아이들을 이끌고 들어갔다.

"곶자왈은 제주도에 있는 숲들이 많은 곳인데 숨 쉬는 허파라고도 한대."

"얘들아~ 나무를 감싸고 타고 올라가는 식물이 넝쿨 식물이야. 곶자왈에 덩굴이 많대."

"고사리 잎 뒷면에 있는 점박이가 포자 주머니래. 우리도 잎 뒷면 관찰해보자!"

전날 가볼 곳을 찾다가 미리 고사리를 검색해 보았다. 아이들에게 엄마표 생태 수업으로 얕은 지식을 방출했지만 유익한 시간이었길 바라면서.

이곳 공원에는 귀여움이 넘치는 사슴들이 있어 입장권을 끊으면 당근을 주신다. 사슴들은 당근을 먹으려고 우리에게 다가왔다. 사슴이랑 이렇게 가까이 놀 수 있다니. 우리의 목적은 처음부터 자동차와 피아노 박물관이 아니었다. 조심히 먹는 사슴들의 혀가 잠깐 닿았는데 고양이나 소의 혀처럼 거칠지 않고 부드럽고 코가 촉촉했다.첫째의 시선은 사슴 이빨이 말 이빨이랑 비슷하게 생겼다 했다. 엄마의 시선은 사슴 발이랑 소 발이랑 비슷한 것 같다며 이야기를 주고받았다.집에 와서 사슴과 찍은 영상을 보는데 둘째가 또 사슴이 보고 싶고 만지고 싶다면서 휴대폰 화면을 자꾸 문질렀다. 실제와 다르니 아쉬운 표정을 지었다.

희귀한 목재 자동차, 역사별 세계의 자동차들, 생각하는 사람의 조각가 로뎅이 만든 세계 유일의 조각 피아노, 24k 순금 피아노, 양의 내장으로 만든 줄로 하프를 만들어 올린 하프 피아노, 3억 2천이 넘는 그랜드 피아노 등이 전시되어 있던 내부에는 전시품뿐만 아니라 도슨트의 설명과 연주까지 훌륭했다. 아주 괜찮은 박물관이다. 그렇지만

내 아이들의 관심은 오직 사슴이었다는 점.

마린 포트홀이 멋진 사계해변

곡선으로 독특한 바위 지형이 멋있는 사계. 해양 돌개구멍이라 부르는 마린 포트홀이 포토스팟으로 유명해져서 사계해안을 찾는 사람들

이 많았다.

어쩜 색깔이며 형태가 이럴 수 있는지, 자연이 만들어 낸 예술이 대단하다. 뒤로는 산방산이 배경이 되어 사진 남기기에 좋은 곳이었다. 아이들도 바위 이곳저곳을 옮겨 다니며 신기한 바위를 구경하고 왔다.

제주에는 뭐든 어마무시 해

아이들이 구경하던 콩벌레 크기가 여태 본 적 없는 큰 사이즈여서 우와~하고 놀란 적이 있다. 그리고 세잎 클로버가 아기 주먹만큼 큰 것을 보고 놀랐다. 뭐지? 이렇게 크게 자라는 거였어?

그러다 민들레를 보았는데 내가 아는 민들레가 아닌 것 같다. 땅 가까이 붙어서 자라는 줄 알았는데 제주도의 민들레는 어른 무릎 높이만큼 키가 큰 채로 꽃이 펴있었다.

봄날의 비조차 장마철에 내리는 장대비 같았고 비바람이 제법이다 싶은 날은 강풍주의보, 호우경보 등의 재난 문자가 여러 번 울려대고 비행기와 배의 결항 소식으로 이어진다. 제주는 뭐든 스케일이 어마무시 하구나! 아직 제주가 낯선 나는 육지 촌사람이다.

아빠가 없는 날 스누피가든에서

아빠 없이 스누피가든으로 다녀온 날. 오전에는 할 일을 하고 오후에는 아이들과 스누피 가든을 다녀오는데 5시간을 썼다. 2시간은 운

전하고 3시간 동안 넓은 가든에서 둘을 데리고 다니는데 힘들어하는 둘째를 중간중간 안아주고 업어주고, 첫째가 잃어버린 모자를 찾으러 되돌아 갔다 오기도 했다. 집에 와서도 밀린 집안일에 아이들 챙기랴 하루가 길고 고된 날이라 너무 녹초가 되어버렸는데 아이들은 늦은 밤까지 잘 기색이 없다. 괜히 멀리까지 가고 그 넓은 곳을 돌아다녀서 에너지를 다 써버렸나 하고 후회를 살짝 했다. 그래도 사진첩에는 볼 것도 많고 예쁜 곳도 많은 스누피가든에서 아이들의 웃는 얼굴 사진이 가득했다.

그래, 그럼 됐지~ 뭐.

엄마 없이 보내는 어린이날

호우경보와 결항 소식에 난리였던 어린이날이다. 나는 출근했고 아빠랑 실내에서 진행된 어린이날 행사 다녀온 아이들은 냄비 받침 만들기, 에코 가방 꾸미기 등을 체험하고 선물도 받아왔다. 엄마가 없어도 재밌는 시간 보내고 온 우리 집 어린이들은 퇴근하고 온 엄마에게 집에 가져온 것들을 보여주면서 자랑하기 바빴다. 아빠 없이 보내는 어린이날은 종종 있었지만, 엄마 없이 보내는 어린이날은 처음이었다.

폐렴으로 입원한 첫째

어린이날로부터 일주일이 지난날, 40도의 고열과 경련으로 입원한 첫째는 해열 주사를 맞아도 39도에서 맴돌았다. 서귀포에서 응급실 갈 수 있는 곳은 서귀포의료원뿐이다. 집 근처에 응급실이 있어 그나마 다행이라 여기고 왔는데 소아병동은 없어 어른들과 병실을 같이 쓰거나 1인실을 써야 했다. 검사 결과 열이 심했던 원인은 폐렴이었다. 남편이 첫째와 병동 생활을 하는 며칠간 나는 출근하면서 둘째와 앙꼬를 챙기기로 했다.

함께 출근한 둘째의 하루

엄마가 출근하는 토요일이었다. 병원에서 지내는 아빠와 언니와 함께 있을 수가 없는데 둘째를 맡길 곳도 없었다. 사장님과 같이 일하는 동생들에게 양해를 구하고 둘째와 함께 출근하게 됐다. 엄마와 함께 일하는 이모와 삼촌의 예쁨을 많이 받았다. 간식도 받고, 손님이 없는 틈에 가게 주변을 산책했고, 엄마가 만든 핀사도 먹었다. 둘째에겐 낯선 날이었지만 소풍 같은 하루였다. 바쁠 땐 태블릿을 보면서 엄마를 기다렸고, 틈틈이 이모와 신나게 놀더니 퇴근길 차에서 바로 잠들어버렸다. 엄마와 함께 출근하느라 너도 고생했어.

일일 선생님이 된 엄마

어린이집에서 스승의날 행사로 일일 선생님으로 참여해달라는 연락을 받았다. 첫째의 반에서는 지원자가 있었지만 둘째의 반에서는 아무도 지원하지 않아 월요일이 쉬는 날인 내가 나서게 됐다.

만 2세 친구들이 무엇을 할 수 있을지, 어떤 활동을 해야 할지 며칠을 고민하다가 스승의날에 의미를 담은 미술 놀이를 하기로 했다. 사전에 선생님께는 꽃 볼 만들기 놀이라고만 말씀드렸다. 우드락 판에 바구니 모양을 그리고 붙이고 '선생님 사랑해요' 문구를 미리 밑 작업을 한 재료를 들고 교실로 갔다. 아이들과는 겹겹이 접어진 습자지를 한 장씩 세워 볼륨을 만든 꽃 볼에 자기 얼굴을 붙여 반 친구 모두를 담은 카네이션 바구니를 완성했다.스승의날에 대해 꼬맹이들이 이해할 수 있을 정도로 설명해 주고

"선생님, 사랑해요"

라고 큰소리로 외치고 안아주고 오라고 했다. 그런데 앗, 나의 설명이 부족했는지 소통 오류가 난 만 2세 반 귀염둥이들은 나를 안아주러 달려 나왔다. 아이들에게 그 시간만큼은 내가 진짜 선생님이었나보다. 너무 사랑스러운 아이들에게 다시 담임선생님을 안아드리자 하고 수업을 마무리 지었다.

퇴근하면 첫째 병원에 잠깐씩 다녀오고 일일 수업 준비도 하느라 너무 정신없고 바쁜 요즘이었는데 끝나고 나니 후련했다. 둘째와 나에게 좋은 추억이 되는 오늘이기를.

호캉스를 떠나요

둘째의 세 번째 생일이 다가오고 있어 신화월드에서 하루 숙박하면서 재밌게 놀다 오기로 했다. 호텔 가기 전 짐을 싣고 준비하는 동안 아이들은 단지 곳곳에서 보물찾기하듯 달팽이며 벌레들을 발견하고 관찰하고 있었다. 같은 옷 입기를 좋아하는 자매들이 감귤 선글라스도 똑같이 쓰고 있는 모습이 어찌나 귀여워 보이던지!

짐을 풀고 워터파크에 간 물 만난 아이들은 즐거움이 넘쳐났다. 밤에는 원더라이트 불꽃놀이를 보고 룸으로 돌아왔다. 다음날 비가 와서 테마파크에 가보지 못했지만, 워터파크와 불꽃놀이가 너무 좋았다는 아이들이었다. 며칠 전까지 아프던 녀석들 어디 갔어? 다 낫고 행복한 시간 보낼 수 있어 감사한 날이었다.

2장.

배롱나무꽃

피고 지고 또 피우고...

아쿠아플라넷 제주

인천과 서울에서 살 때 첫째와 서울에 있는 아쿠아리움은 모두 다녀와 봤었는데 둘째는 코로나19 시기를 보내면서 한 번도 가본 적이 없

었다. 그래서 첫째는 오랜만에 가보는 아쿠아리움이었고 둘째에게는 처음인 아쿠아리움 나들이였다. 아이들에게 아쿠아리움에 다녀온 소감을 물어보니 좋아하는 상어를 만났고, 치코와 릴리가 나온 아레나 오션 공연이 너무 즐거웠다고 얘기한다.

제주에서 처음 사귄 친구들

제주에 와서 두 달이 넘도록 나에게 친구가 없었다. 어린이집 엄마들과 소통하고 친분도 쌓고 싶었으나 같이 인사 나눠주는 이조차 없었다. 모두가 그런 것이 아니겠지만 제주 사람들은 육지에서 온 사람들에게 먼저 다가오지 않는 분위기다. 용기를 내어 먼저 소통을 시도해 봐도 매번 어려웠다. 그러다 연락하게 된 첫째 반 엄마 두 명과 만나게 되었는데 알고 보니 그 두 가정도 육지에서 이사 온 집이었다. 같은 공감대로 이야기 나누다 보니 나보다 10살 많은 언니와 10살 어린 동생과 친구가 되었다. 10-10-10, 20년의 차이도 함께 어울리기에 문제 없는 사이가 되었다. 제주에 드디어 친구가 생겼다.

워킹맘은 웁니다

시누이 가족이 시어머니를 모시고 제주에 오셨다. 출근하느라 신경을 못 쓰고 있었는데 고모네 가족과 시부모님을 좋아하는 아이들은 엄마와 아빠가 없이도 리조트에 따라가 물놀이했다.

사흘 뒤, 둘째가 천지연으로 어린이집 소풍 가는 날인데 감기에 걸려 병원부터 들렀다가 천지연으로 바래다주고 출근했다. 지각 출근에 일하느라 정신없던 사이 둘째의 컨디션이 나빠졌다. 선생님의 부재중 전화가 여러 통 와있었다. 나와 연락되지 않아 남편에게 연락이 갔고 남편이 급히 데려왔단다.

고모네 가족과 며칠 동안 잘 놀았던 둘째가 편도염으로 고열이 나기 시작했다. 다들 서울로 돌아가는 날이었는데 시어머니께 둘째를 봐달라고 급히 도움을 요청했다.

아이가 아프면 진료를 보고 출근하느라 지각을 하고 어린이집에 등원할 수 없는 상황이 생기면 어쩔 수 없이 부모님의 도움을 받고, 아이가 신경 쓰여도 출근해야만 하는 이 상황. 다른 워킹맘들도 이랬겠구나. 힘들었겠구나. 직접 느껴보니 생각보다 더 쓴맛이다.

밤에 더 예쁜 새연교

둘째가 열 내리고 컨디션이 회복되었다. 아이를 돌봐주시느라 집에만 계셨던 시어머니를 모시고 집에서 차로 몇 분이면 갈 수 있는 천지연과 새연교에 산책하러 왔다. 둘째는 천지연 가는 길에 있는 돌하르방을 말로 뱉어내기가 어렵고 헷갈리는지 매번 "하라부"라고 했었는데 드디어 "하르방"이라고 불렀다.

연애 시절 남편과 여행 왔었던 새연교의 야경이 지금은 더 멋있어지고 음악분수도 생겼다. 시간이 바꿔놓은 변화에 둘이 왔던 곳을 아이와 어머니를 모시고 오게 되니 새롭고 벅차다. 서귀포의 밤은 갈 곳이 거의 없다. 6월의 으스름해질 저녁 시간에 천지연폭포를 산책하고 깜깜해지면 새연교에서 야경을 보는 코스는 시원하게 걷고 쉬어가기 딱 좋았다.

할머니와 함께 세 돌 파티

시어머니가 육지로 돌아가시는 날이 둘째의 생일이라 하루 앞당겨

어머니가 계실 때 파티를 했다. 말을 트기 전부터 보라색을 가장 좋아하는 둘째를 위해 보라색으로 꾸미고 제주에서만 파는 스타벅스의 작은 세 가지 케이크로 준비했다.많은 사람의 사랑을 받고 지내는 둘째가 몸도 마음도 건강하게 자라서 사랑을 베풀 줄 아는 어른이 되길 바라.

특별한 날이지만 특별할 것 없이, 그렇지만 매일 특별한 날인 것처럼. 우리 그렇게 지내보자.

이호테우 해변과 버베나 꽃밭

제주공항에 시어머니를 모셔 드리고 제주 여행의 시작 혹은 끝이라 부르는 이호테우해변으로 갔다. 혼자 온 여행객처럼 여유를 부리며 다녀보았다. 말 모양 등대를 보고 근처 버베나 꽃밭 구경도 했다. 보라색의 아기자기하게 생긴 꽃송이가 예뻤다. 개화된 시기에 오게 되어 눈과 휴대폰으로 예쁨을 담고 왔다.

이호테우의 밤은 바닷가 포차로 새로운 풍경이 열린다는데 자매들과 늘 함께하다 보니 남편과 그런 데이트를 즐겨볼 수 있을 날이 있을까 싶다. 상상만으로 기대를 해본다.

두 시간 뒤에 표선해수욕장에서 만나요

일요일 오전, 아이들과 무얼 하고 놀지 고민하고 있던 찰나에 첫째와 같은 반으로 인연을 맺게 된 열 살 터울 친구들에게 연락이 왔다. 갑작스러운 연락임에도 세 집은 표선해수욕장에서 곧 만나자, 약속했다. 다들 외동을 키우고 나만 둘이라 더 낑낑대며 갔는데 친구 아빠가 아이들이랑 같이 놀아주고 친구 엄마들이 같이 챙겨줘서 그나마 덜 힘든 시간이었다.

해조류를 잔뜩 주워와서 해수욕장 모래 퍼내고 미역국 한솥 끓여놓은 둘째. 동생의 다리를 인어공주 만들어 준 만 5세 반 친구들은 싸우지도 않고 사이좋게 잘 놀아줘서 고맙고 기특했다.

유일한 내 제주 친구가 되어준 이들의 아이들과 함께한 오늘 하루가 감사하다. 사실 너무 피곤했는데 해수욕장 번개 소식에 카페인 집어

넓고 뛰쳐나온 나 자신도 칭찬해!

우리 모두 즐거웠던 바다 번개모임이다.

휴무일에도 만난 동료

나와 함께 일하는 여자 동생들은 스물셋, 스물일곱의 한참 예쁜 나이를 보내고 있는 청춘들이다. 제주시의 병원에 예약이 있어 멀리 가야 하는 날이었는데 동생들도 같이 만나 놀기로 했다. 휴무일이지만 만나서 함께 밥 먹고 놀다가 나의 진료를 기다려 줬다. 요즘 많이들 찍는 인생네컷을 동생들과 어울리면서 처음 찍어 봤다. 동생이 없는 나에게 어디서 이렇게 어리고 예쁜 동생이 둘이나 생겼을까?아이들 데리고 출근하게 된 날, 이모들이 간식 사주고 안아주고 놀아주고 화장실 데려가 주고 하고 싶다는 걸 다해주더니, 하루도 빠지지 않고 이모들이 보고 싶다 타령이다. 20대 귀요미 동생들아, 낼모레 40살인 언니와 함께 해 주어 고마워. 꼰대 아니고 소녀 같고 해맑고 웃기다 해줘서 고마워. 각자 맡은 일도 잘하고 얼굴도 예쁘고 내 아이들도 예뻐해 줘서 고마워. 고마운 것들만 넘치고 있어. 너희가 좋아하는 매운 갈비찜 또 만들어 갈게.

나의 감성과 닮은 손님에게

일터에서 가장 많은 시간을 보내는 동생들과 장난치고 담소 나누고 어떤 일들을 함께 해결해나가면서 맛있는 음식을 나눠 먹고 각자의 맡은 일에 열정적인 그런 날들이 이어졌다. 각자 생활했던 지역을 떠나 어쩌다 제주에서 같은 공간과 시간을 공유하게 된 우연은 우리의 인연을 얼마나 깊이 있게 데리고 가 줄 것인지 생각해 본다. 제주 생활의 끝이 어느 정도 정해져 있는 나와 우리의 마지막은 어떤 모습일지 기대하게 되고 동시에 그 순간을 마주하지 않고 싶기도 하다. 그리고 어느 날에는 우리의 시너지가 누군가의 기쁨과 행복이 되기도 했다는 것에 마음 따뜻해지는 순간이 찾아오기도 했다. 여행 온 동안 매일 우리 가게 음식을 먹으려고 근처로 숙소까지 옮겨오셨다던 어느 손님이 계셨다. 며칠을 연달아 바쁘지 않은 시간대에 혼자 오셔서 모두가 그분을 기억하고 있었다. 큰 슬픔을 겪은 탓에 음식의 맛을 못 느꼈었는데 핀사를 먹으면서 치유가 되는 기분을 느꼈다고 하셨다. 음식을 만들어서 내어드리는 나로서 그분의 인사는 비교할 수 없는 큰 칭찬이었다. 그런 감사함을 전달하고 싶은 마음을 담아, 갓 나오기 시작한 하우스 귤에 바질 잎을 꽂아서 손님께 내어드렸다. 그날도 나의 동료들과 소소한 대화를 나누며 느긋한 식사 시간을 보내다 가시면서 내일도 오겠다고 했다. 다음날 우체통에 편지 한 통과 가게 사진을 담은 폴라로이드 사진이 놓여 있었다. 갑자기 일이 생겨 못 오게 됐다며, 대화 속에 나눈 소소한 약속을 기다릴까봐 편지를 남겨두고 가셨나 보다.

표정을 담은 귤을 예쁘게 까서 드시고 간, 나의 감성과 닮아 계셨던 마음 따뜻한 손님을 다시 만날 수 있을까?

혹시 다시 만나게 되면 그때는 안아드릴게요. 행복하게 지내시다가 다시 만나요.

얘들아, 무민 캐릭터 알아?

아이들과 무엇을 하면서 일요일을 보내볼까 고민하며 실내의 가볼 만한 곳을 찾아보고 있었다.

"얘들아, 무민 알아? 하얀색 캐릭터인데!"

둘 다 무민이 뭐냐며 묻길래 무민랜드로 가자고 했다. 이번에는 나도 아이들과 똑같이 귤 모자를 쓰고, 흰 티셔츠에 청바지 색을 맞춰 입고 나섰다. 무민랜드에서 시간을 보내고 온 첫째가 이름도 처음 들어봤던 무민이를 만나고 나니 무민이를 사랑하게 되었단다. 집에 와서 무민이를 그리고 집도 만들어 주면서 무민이 놀이를 하고 있었다. 엄마는 가보니 '이런 곳이구나'로 끝났는데 첫째는 진심으로 좋아진 거였다. 무민이 보러 또 가고 싶다는 아이들은 얼마 뒤 엄마가 출근한 토요일에 아빠랑 또 다녀왔단다.

비 오는 날의 비밀의 숲

추적추적 비가 오락가락하는 날이지만 가족 나들이로 비밀의 숲에 갔다. 우산을 써야 할 정도의 비였지만 울창한 숲이 우리의 우산이 되어주었다. 질척이는 땅에 우리의 신발은 모두 엉망이 되었지만, 비 맞고 노는 것도 꽤 재밌고 진흙 길을 피하며 걷는 재미도 있었다. 비 오는 날이라 오히려 사람이 많지 않아서 우리 세상 같았다.

너무 예쁜 들판과 나무와 오름들 앞에서 사진을 찍고 있었다. 조금 떨어진 뒤에 숨어서 풀 뜯어 먹던 새끼 노루가 우리를 의식하고 자꾸 고개를 들어 보이는데 까꿍 하는 것 같아 너무 귀여웠다.

아침미소목장에 가요

7월의 장마철이지만 큰비가 내리지 않아 아침미소목장에 다녀왔다. 입장료를 받지 않고 우유 자판기에 3천 원을 넣으면 젖병에 담긴 우유 먹이기 체험을 할 수 있었다. 진해에서 친하게 지내던 친구가 추천해 준 곳인데 일반 놀이터와 모래 놀이터도 있어서 아이들 데리고 가기 좋았다. 흐린 날씨에 비가 오락가락하면서 덥고 습했다. 둘째가 힘들다고 짜증을 내기 시작했다. 카페에서 간식타임을 가지면서 쉬고 나와도 더워하던 아이들은 목장 구경은 찔끔. 오히려 모래 놀이터에서 콩 벌레를 관찰하며 한참을 놀았다. 아무래도 콩 벌레가 더위를 이긴 것 같다.

나의 단짝과 나란히 걸은 사려니숲

오랜만에 남편과 단둘이 데이트하게 된 날, 여태 제주 여행 와도 못 가봤던 사려니숲으로 갔다. 산책로를 따라 쭉 뻗은 나무들이 그늘이 되어주었다. 늘 아이들 사진 찍어주기 바빴는데 오늘은 나도 좀 찍어 달라며 남편에게 부탁했다. 똥손 남편이 찍은 내 모습은 건질만 한 사진이 하나도 없었다. 사실 남편의 실력보다는 그동안 살찐 내 몸이 더 문제다. 속상해하는 나를 보더니, 마음에 들 때까지 찍어주겠다는 짝꿍이었다.

"남편~사진 찍는 연습 좀 더 해. 나는 살 빼긴 글렀고 자연스럽게 찍히는 연습 좀 할게!!!"

남편~ 애들 하원 시켜서 색달해변 가자!

우중충한 날씨긴 했지만, 애들이랑 해수욕장 가자는 갑작스러운 나의 제안에 남편이 응해주었다. 색달해수욕장은 서핑하러 많이 오는 해

수욕장이라 그런지 한쪽은 서퍼들 구역으로 나누어져 있었다. 표선해수욕장에서 놀 때는 세탁을 하고 말리고 털어도 원단에 껴있던 모래가 문제였는데 색달해수욕장은 모래 입자가 좀 더 굵어서인지 수영복에 끼지 않아서 좋다. 물안개에 파도가 높고 가끔 빗방울도 떨어졌지만 생각지 못한 바닷가 놀이에 아이들은 신난 표정뿐이었다.

너 지금 행복하니?

나의 제주 생활이 제법 익숙해진 것 같고 아이들과 즐겁게 여행하듯 노는 사진을 보고 지인 중 누군가는 부럽다고 했다. 또 누군가는 행복하고 즐거워 보여서 다행이라 했다. 분명 나도 그런 것 같은데 뭔가 이상하다. "너 지금 행복해?"라고 나의 근황을 묻는다면 고민할 가치도 없이 "응"이라고 대답할 수 있을 것만 같은 내 마음과 다르게 몸은 자꾸 아니라고 한다.

몇 년째 먹고 있는 정신과 약은 언제 어떻게 터질지 모르는 하룻밤의 안녕을 위해 매일 밤 꼭 먹어야 한다. 내 가방, 남편의 가방, 차와 내 일터에는 필요시 먹는 안정제가 항상 대기하고 있다. 밤마다 먹는 약으로 대부분 컨트롤하고 있지만, 아이를 재우다 같이 잠이 들어 버리거나 깜빡했거나, 혹은 꿈을 꾸다가 찾아오는 공황발작은 필요시 약을 집어삼킬 힘조차 없게 한다. 어떤 날은 미세경련으로 지나가지만, 어떤 날은 헛구역질하고 숨통이 조여오고 의식이 있는 상태로 온몸이 들썩거리며 튕겨 오르기도 했다. 과호흡이 심해지면 손발이 마비되는 느낌과 함께 뒤틀리기도 한다. 그럴 때마다 주체하기가 어려워 눈물이 쏟아진다. 요즘은 매일 남편이 집에 있었기에 챙겨주는 약을 간신히 삼키고 안정될 때까지 의지하면서 넘기곤 했다. 남편은 몸이 튕겨 오를 때는 낙상하지 않도록 나를 꼭 붙잡으면서 차분하고 다정한 목소리로 이야길 나눠 준다.

나에게 직업도 생겼고 일하는 즐거움도 수년 만에 다시 느꼈다. 휴일이면 아이들을 데리고 제주 여기저기를 여행하고 체험하면서 즐거워하는 아이들의 모습을 보고 있다. 잘 적응해 준 것 같아서 안심하고 마음 놓아도 되는 것 아닌가? 그런데 왜일까? 요즘 매일 같이 눈물이 났다. 이유를 알 것 같기도 한데 딱 집을 수가 없다. 어제는 4시간을 울다 그치기를 반복하며 통제 불가였다. 자꾸 흐르는 눈물에 아이들이 의아해하며 걱정했다.

'아, 집에 있으면 안 되겠구나'

밖으로 나가는 나를 걱정하는 남편이 쫓아왔지만 혼자 있고 싶다고 따라오지 말아 달라고 했다. 다정하고 무조건 내 편이 되어주는 짝꿍은 돈 걱정이나 뒷일은 모두 생각하지 말고 육지에 며칠 나갔다 오는 게 어떻겠냐고 했다. 서울도 가고, 진해도 가고, 친정도 가고. 아이들은 자기가 돌보겠다며 내가 사랑하는 사람들을 만나고 오면 좋겠다고 권했다. 그 따뜻한 말로도 충분한 힘을 가졌으나, 함께 일하는 동료나 사장님께 폐 끼치고 싶지도 않았고 실천한다고 해서 나아질 것 같진 않았다. 그냥 어디든 지금 당장 나가야 했다.

남편의 허락 아래 가출을 했다. 그런데 갈 곳이 없다. 만나고 싶은 사람도 없지만 내게는 아직도 익숙하지 않은 제주였고 날 만나 줄 사람도 없다. 이 늦은 시간에 서귀포에는 이미 문 닫은 곳뿐이다. 내 상태를 알던 친구들은 육지에 오기만 하면 재워주겠다거나, 있던 약속 취소하고라도 함께 있어 주겠다고 했다. 나를 보고 싶다고 소중한 마음을 전해 주었기도 했다. 친구들에게 집을 나왔는데 갈 곳이 없어서 가게에 가겠다고 하니 늦은 시간까지 문 닫지 않은 예쁜 곳들을 검색해서 공유해 줬다. 가서 기분 전환하고 사진도 예쁘게 찍어 보내라고 했다. 달리는 차 안에서 엉엉 소리 내어 시원하게 울었다. 친구들에게 그러겠다고 했지만, 퉁퉁 부은 눈과 엉망이 된 몰골로 어딘가로 가기에 참 그렇더라. 그리고 찾아준 곳들도 곧 문 닫을 시간이 다가오고 있었다. 결국은 가장 익숙한 가게로 갔다. 늦은 밤에 보안 경비 해제하고 들어가서 사장님에게 문자 알림이 간 모양이었다. 내게 무슨 일이 있다고 느낀 사장님과 동료들이 돌아가며 전화를 걸어 안부를 살펴주었다. 다음 날 출근하지 말고 쉬다 나오겠냐고 먼저 권해주신 사장님께 오전에 병원 다녀올 테니 공식적으로 지각을 하겠다고 말했다.

물품 보관실을 정리하고 청소하면서 정신 없이 보냈다. 마무리 되어갈 즈음, 자정이 넘은 시간에 동생들이 폭죽을 들고 나타났다. 시시콜콜한 이야기로 웃음을 주고 어디든 가서 재밌는 시간을 보내고 오자고 했다. 나보다 12살, 15살 어린 동료 친구들이 더 철든 모습으로, 그리고 그 또래들답게 밝고 해맑은 모습으로 나를 동화시켜 줬다. 여자들끼리 재밌게 놀고 오라며 술 마시면 태워주고 데려다주고 기사 노릇하겠다던 주방 메이트 셰프님이었다. 그는 다음날 병원에 들렀다 온 나에게 일하는 동안 계속 옆에서 말 걸어주고 웃음을 줬다. 오전에 병원에 들렀다 출근하는 길에 엄마랑 통화했다. 이제 나이가 드셔서 아픈 곳이 늘어 나는 두 분의 소식이 너무 마음이 아프다고 핑계 대면서 펑펑 울었다. 다 큰 자식이 걱정될 만큼 너무 울어대서 미안하다며 또 울었다. 걱정을 한가득 안겨드려 버렸다. 자꾸 왜 이러는지 요즘의 자신을 이해하기 힘들어 물음표를 자꾸 띄우는 나에게 어린 동료들은 그럴 수도 있고 괜찮은 거라며 굳이 찾으려 하지 말라고 나이 든 언니를 위로했다. 성숙한 모습으로 나를 대하는 이들을 똑같이 지켜주고 사랑해 줘야겠다고 다짐했다. 진짜 자기, 가짜 자기, 뭔지도 모르는 나.

즐거울수록 공허하고 행복할수록 불안해지는 나지만, 아이 같은 오늘의 나일지라도 잘 버텼고 대견했고 사랑스럽다고 말해줘야지. 누구의 엄마, 누구의 아내, 누구의 딸 말고 오롯이 나에게.

왜 정신과에 가는지 이해가 안 될 정도로 그저 밝고 행복해 보인다고들 하지만 드문드문 힘든 시간을 이겨내 보는 중입니다. 누군가 내 안부를 물어오면 "너무 잘 지내고 있어요"라고 망설임 없이 대답하고 싶어요. 내 일기를 읽은 모든 사람의 마음이 안녕해지길 바라요.우리 모두 행복하길.

비 맞아도 한라산 사라오름까지 가볼래

제주에 사는 동안 꼭 한번은 한라산에 가보고 싶었다. 정상까지 못 가더라도 근처만이라도 가보자며 남편과 모처럼 시간을 맞춰 나섰다. 장마철이라 당일 날씨조차 가늠되지 않는 한라산이지만 일단 성판악 코스를 예약해 뒀다. 성판악 주차장에 들어설 때부터 비가 내렸음에도 우비도, 우산도, 장비도 없이 호기롭게 가보기로 했다. 안내소에서는 기상악화 때문에 진달래밭 대피소부터 백록담까지는 이미 폐쇄되었다고 했다. 실은 사라오름의 물이 찬 산정호수가 더 보고 싶었는데 그곳까지는 다행히 올라갈 수 있었다. 요즘 산정호수에서 물에 발을 담근 인증사진을 찍는 사람들이 많아서인지 물에 뱀이 있으니 발을 담그면 안 된다는 안내를 해주셨다.

산속에 내리는 빗소리가 매력적이었다. 올라갈수록 점점 사람들은

하산하고 지나가는 이들이 없어졌다. 비 오는 날씨에 우리처럼 준비 없이 다니는 사람도 없었다. 오르면서 이미 신발과 양말, 속옷 할 것 없이 다 젖었다. 오히려 시원한 비를 맞아서 덥지 않고 목도 덜 말랐던 것 같다. 평소 등산을 해보지 않던 우리였지만 사라오름까지 열심히 걸었다. 그런데 도착하기 얼마 전부터 비바람이 예사롭지 않았다. 도착해서 보니 사진의 멋진 모습을 한 산정호수는 보이지 않았다. 으스스하고 무시무시하게 물이 차서 호수 탐방로마저 잠겨버린 상태였다. 매서운 비바람에 한기가 느껴져 곧장 하산하였다. 작년에 뼛조각이 뜯어질 정도로 심하게 인대가 끊어져 불안정한 발목으로 감히 왕복 5시간을 도전했건만. 차라리 맑은 날 화산 송이가 바닥이 드러났을 때 갈 걸 그랬다. 하산하는 내내 아쉬움이 컸다.

마누라가 갑자기 가자고 해도 흔쾌히 동행 해주고 함께 비 맞아준 짝꿍에게 다음에 또 오자고 해도 따라와 줄 거냐고 물으니 흔쾌히 또 그러겠단다. 힘든 상황에서도 목적지까지 도달했듯이 험난한 앞날이 문득 찾아와도 오늘처럼 함께 걸어 나가보자, 남편아.

아이들과 놀기 좋은 금능해수욕장

표선해수욕장에서 함께 했던 친구들과 사전 약속 없이 금능해수욕장에서 보자는 말이 나오자 다들 후다닥 준비해서 출발했다. 차로 1시간 거리였음에도 연락한 지 2시간 만에 다들 집합 완료했다. 그 와중에 어느 집은 김밥 포장 해오고, 어느 집은 한치회 포장해 오고, 또 어느 집은 애들 간식이랑 술까지 챙겨왔다. 각자 물놀이 준비까지 다들 척척 이다. 이번에는 세 가정 모두 아빠들까지 출동하시어 완전한 가족 모임이 이루어졌다. 낯가려서 올까 말까를 고민하셨다던 아빠들 어디 갔어? 아빠들끼리 형, 동생 하며 한치회를 안주 삼아 한라산소주에 맥주도 마셨다. 세 가족 모두 육지에서 제주에 온 공통점이 있는 가족들이라 그런지 대화가 끊이질 않고 어색함도 금세 사라져 버린 즐거운 시간이었다.

바위가 많지 않고 물이 얕아서 아이들과 물놀이하기 좋은 금능이었다. 얼마 전부터 첫째가 튜브형 조끼를 입고 수영 연습을 하더니 감이 잡혔는지 바다 수영을 해냈다. 겁 많고 배운 적도 없는데 갑자기 왜 잘하는 거지? 의아하면서 대견해하자 첫째는 우쭐하기도 했다. 첫째가 친구들과 잘 놀고 있는 덕에 나는 둘째에게 조금 더 집중할 수 있었다. 살짝 구름이 끼고 바람 부는 날이라 너무 덥지도 않고 물은 미지근하여 아이들이 놀기에 적당했다. 과하지 않게 술을 먹어 금방 깬 아빠들이 아이들과 놀이하다가 모래를 씻겨주고 자리를 정리했다. 각자 집으로 헤어질 때는 음주하신 아빠들 대신해 엄마들이 대리기사님이 되었다.

수월봉 지질 트레일과 대정 도구리알

아이들 감기가 아직 남아있던 월요일이었다. 엄마의 휴일이기도 한 월요일이라 감기를 핑계 삼아 어린이집에 보내지 않고 다짜고짜 고래 만나러 나가자 했다. 신난 아이들을 데리고 돌고래가 자주 목격된다는 대정 도구리알 방향으로 가던 길에 몇몇 여행객들이 지나다니는 곳이 있어 차를 멈췄다.

사람들을 따라가니 한라산이 얼마나 격렬한 화산폭발이 일어났었는지 알 수 있는 의미 있는 곳이자 멋진 사진 명소인 수월봉 지질 트레일이 보였다. 큰 폭발로 인해 지층 사이에 날라 온 돌덩이들이 쿡쿡 박혀 있었다. 돌덩이와 화산재가 함께 날라와 시간이 만들어 준 이 멋진 곳에 대한 안내판을 읽어보고 아이들이 이해할 수 있게 간단히 설명해 주었다. 아이들의 눈에도 지형이 신기한 듯했다.

다시 돌고래를 보러 향했다. 오락가락하는 비를 맞으면서 도구리알 물속을 구경하고, 비를 피한답시고 움푹 파인 암석 틈에 숨기도 하면서 시간을 보내 봤지만, 우리가 기다리는 돌고래를 목격하지 못했다. 감기가 다 낫지 않은 아이들에게 자꾸 비를 맞게 할 수 없어 카페에 갔다. 돌고래가 헤엄치는 모습이 보인다는 카페였지만 역시나 만나지 못했다.

돌고래야, 다음에 다시 보러 올게!

너희도 엄마만큼 친구들이 그리웠구나

아이들과 함께한 오늘, 둘의 모습을 담아주고 이런저런 대화를 나누면서 미안함이 밀려들었다. 자매들도 조금은 익숙했던 곳을 떠나고 제주에 적응하면서 예전만큼 친한 친구가 아직 생기지 않았나 보다. 몇 개월이 지나고 웃고 신난 모습을 많이 보았기에 나보다는 잘 지내는 것 같았다. 그런데 새 학기에 이미 친한 친구들이 형성된 분위기에 새롭게 원에 왔다보니 한정된 친구랑 교류하고 있었나 보다. 그나마 다행인 것은 원에서 첫째와 둘째가 급식실이나 놀이터에서 종종 마주치면 서로를 부르며 안아주고 손 흔들어 주면서 의지하고 있다는 점이다. 둘은 어린이집에서 서로의 가장 친한 친구가 되어주고 있었다. 첫째도 둘째도 진해 친구들을 그리워하고 보고 싶어 했다. 아이들의 마음을 전부 꺼내어 보듬어 줄 수 있으면 좋으련만.

아이들의 감정표현이 어른만큼일 수 없기에, 그리고 엄마가 알아차린 마음도 다른 대안을 제시해 줄 수 없어 마음을 읽어주는 그뿐이라, 속상함이 밀려왔다.

지금 너희에게 해줄 수 있는 것은 우리가 오게 된 제주의 아름다운 모습을 많이 느낄 수 있도록, 일하는 엄마지만 틈틈이 추억을 남겨주려고 노력 중이야. 지낸 기간보다 앞으로 지내야 할 기간이 더 남은 제주에서 행복한 시간을 만들어 보자. 아빠, 엄마가 친구들과 자꾸 이별하는 법을 배우게 해서 미안해.

신창~고산 해안도로와 풍차 해안도로

신창의 풍력단지가 늘어서 있는 제주 바다목장에 다녀왔다. 아직도 비가 오락가락하는 날씨라 에메랄드빛의 바다는 아니었지만 하얀 풍력발전기가 바닷길을 따라 돌아가는 모습만으로도 인상적인 곳이었

다. 흐리지 않다면 일몰 장소로도 유명한 곳이었다. 비 오는 날에도 풍차 따라서 바닷길을 걷는 낭만이 있었다. 나와 아이들은 '제주 바다목장'이라 써진 곳에 서 있던 해녀 동상에 우산 씌워주면서 웃음이 터졌다. 우리는 비 좀 맞으면 어때? 육지보다 맑고 깨끗한 제주잖아!

서쪽의 신창 풍차 해안도로에서 고산 방향으로 드라이브를 하면서 오다 보니 무지개색 돌이 있는 찻길과 차귀도를 품은 바다가 예쁜 배경이 되는 곳을 지날 수 있었다. 풍차 해안도로와 멀지 않은 이곳도 드라이브 코스로 너무 훌륭한 곳이었다.

동양 달팽이와 넓적사슴벌레

제주에 와서 자연과 너무 많이 가까워지는 중이다. 굳이 자연 안에 들어가지 않아도 내 집 앞이 자연이다. 장마철 잦은 비가 내릴 때 단지 안에서 몸의 크기만큼 커다랗고 멋진 집을 이고 다니는 동양 달팽이 만났다. 제주에 와서 육지에서 본 적 없는 크기의 여러가지들을 보며 놀랐던 적이 한두 번이 아닌데 이번에도 큰 달팽이를 마주하고 많이 놀라는 중이다.

산책하면서 만난 동양 달팽이가 앙꼬 눈에도 신기한지 조심스레 냄새를 맡아 본다. 단지 한가운데를 돌아다니면 출입하는 차량에 깔려 죽을 것 같다는 핑계를 대며 집에 데리고 들어왔다. 사육장 케이지에 집을 꾸며주고 먹이를 줬다. 양배추 하얀 속을 먹고 하얀 똥을 쌌고, 오이를 먹고 초록 똥을 쌌고, 당근을 먹고 주황 똥을 쌌다. 몸집이 큰

만큼 갉아먹는 모습도 관찰할 수 있었고 어느 날에 흙 속에 알을 낳더니 새끼 달팽이가 부화하여 꼬물이도 만났다. 자세히 보아야 알 수 있을 정도의 달팽이인데 너무 앙증맞았다.

집 근처 가로등 아래에서 만난 넓적사슴벌레도 곤충 젤리를 먹여가며 한동안 키웠다. 비가 내리기 전에 방충망이나 공동현관 앞에서도 달팽이와 사슴벌레를 만나는 일이 점점 흔했다. 사슴벌레가 기운을 잃은 채 뒤집혀 있는 모습이 보이면 집에 데리고 와서 곤충 젤리 위에 올려두었다. 그러면 어느새가 기운을 차리고 한밤중에 활동한다. 여러 마리가 오다 보니 사육장 수가 점점 늘어났다. 가장 큰 녀석을 재보니 무려 7센티나 되는 사슴벌레도 있었다. 어릴 때 시골에 살았어도 본 적 없는 동양 달팽이와 사슴벌레도 임시 가족이 되었다.

가게 주변에는 우아한 브론즈 색에 흰점이 매력적인 곤충이 자꾸 나타났다. 궁금해서 찾아봤더니 흰점박이꽃무지라고 한다. 굼벵이도 구르는 재주가 있다던 그 유명한 굼벵이가 어른이 되면 흰점박이꽃무지가 된다고 했다. 제주에서 자연 속 친구들에게 끊임없이 놀라는 중이다. 그 놀람은 거미와 개미와 지네 등 생각하지 못한 불청객들이 집에 자주 나타나는 것도 포함이 되었다.

자매들과 함께 관찰하고 보살펴 주면서 한동안 우리의 가족이 되었던 달팽이와 사슴벌레는 몇 달간 함께 지내다 나중에 자연으로 되돌려 보내주었다.

솜반천 자연 물놀이장

제주에는 지형을 따라 흐르는 계곡들도 많고 용수천이 많아 담수풀을 만들어 더위를 식히는 천연 물놀이장이 여기저기 많았다. 자연 물놀이장들은 차갑다 못해 시리다는 말이 더 맞을 것 같다. 이웃 동네 서귀동이나 동홍동에도 물놀이장이 있고 우리가 지내는 서홍동에는 솜반천이 여름 물놀이 장소다.

가깝게 지내는 세 가정이 금능해수욕장 이후로 모두 모여 식사를 했다. 식사가 끝나고 아쉬운 마음에 매일올레 시장에서 이중섭거리까지 걸으면서 손잡고 하하 호호거리던 아이들과 엄마들은 어린이집 방학을 맞이하여 솜반천에서 만나자고 약속을 했다.

다음 날 시간 맞춰 솜반천에 모였다. 대형튜브에 아이들을 태우고 물길 따라 떠내려가지 않도록 끌어주었다. 다 같이 물총 놀이하다가 다슬기를 알려주니 각자 신발 안에 다슬기를 따 모으기도 했다. 물놀이하다가 추워지면 발 담그며 쉴 수 있는 수로에 걸터앉아 간식을 꺼내 먹었다.

퇴근한 아빠들이 데리러 올 때까지 집에 가지 않고 버티던 꼬맹이들이다. 언니, 오빠들 틈에서 깍두기 역할 제대로 하는 둘째도 신나게 잘 놀았다. 아이들은 집에 걸어가는 길에 내린 소나기를 시원하게 맞으면서도 즐거워했다. 아이들과 다르게 나는 영혼 없이 터덜터덜 뒤따라 걸었다.대형튜브를 입으로 다 불어내고 아이들 모두 태워 밀어주고 둘째 다슬기 잡아주면서 햇빛에 피부가 그을리고. 종일 아이들 챙기느라 정신없었던 나였다. 너무 힘들었다며 주방 파업하고 남은 시간은 남편에게 아이들을 맡겼다.

방학은 힘들어

더위를 피해 실내 놀이가 많은 뽀로로 앤 타요 테마파크에 왔다. 세 가정의 아이들이 3일째 연달아 만나는 중이다.겁 많은 첫째가 희한하게도 놀이기구는 무서워하지 않는다. 내부에 있는 모든 놀이기구가 시시하다며 야외의 큰 바이킹 맨 뒷줄에 타는 게 가장 재밌단다. 언니가 바이킹 탈 동안 키가 안되는 둘째는 엄마와 관람차를 타는데 덥다 못해 뜨거울 지경이다.그제 밤에 4시간 30분을 놀았고, 어제 물놀이하면서 6시간을 놀았고, 오늘 뽀로로파크에서도 6시간을 놀았다. 계속 더 놀고 싶다는 꼬맹이들아, 엄마들 체력도 좀 걱정해 주지 않으련?

두근대서 잘 먹지 못하는 커피로 수혈하면서 버티는 중이다. 습하고 더운 날씨마저 도와주지 않는다. 엄마는 여름방학이 너무 힘들어.

특별한 손님의 여름휴가 1

여름휴가 시즌이 되자 제주에 오는 지인들이 연락을 해왔다. 대학 때 만나 여태껏 좋은 친구가 되어주는 친구와 부모님이 여행 오신다기에 일하는 곳으로 초대했다. 친구보다 친구의 부모님을 정말 오랜만에 뵈었다. 결혼 전, 서울과 일산에서 자취하던 나에게 깍두기를 담아 보내 주셨던 친구의 엄마, 계약이 끝나 다른 집으로 이사할 때 도와주셨던 친구의 아빠. 두 분께 언젠가는 감사 인사를 제대로 드리고 싶은 마음이 있었다. 마침 친구와 부모님이 함께 제주 여행을 오셔서 가게에 찾아와 주셨다. 만든 음식을 대접하고 나니 혼자 묵혀둔 마음의 빚을 갚은 것 같은 기분이다. 맛있게 드신 음식도 추억으로 담아 즐거운 여행을 하고 돌아가시길 바라는 마음이다.

특별한 손님의 여름휴가 2

신혼 때 첫 관사에서 만나 알게 된 언니가 있었다. 해군 가족으로는 가장 오래 인연이 되어준 언니다. 언니와 조금 친해지고 보니 남편들이 같은 종류의 군함을 타느라 종종 마주치는 1년 선후배 사이였다. 서로 다른 곳으로 발령받고 각 지역을 돌다가 7년 만에 다시 진해에서 만나게 되어 언니네 가족과 더 가까워지고 깊은 사이가 됐다.

최근의 나를 가장 잘 알고 걱정해 주며 의지하던 사이였고 비슷한 또래를 키우면서 아이들끼리도 각별했다. 그러다가 서울로, 제주로 또 각자 이사 가면서 헤어졌는데 언니네 가족이 여름휴가로 제주에 왔다. 일하는 곳에 초대해 음식을 만들어 주고 퇴근길에 함께 산방산과 용머리 해안이 내려다보이는 카페에 들렀다. 사계 해안에서 분홍색 구름

으로 물들었다가 붉은 하늘이 어스름하게 변하는 멋진 일몰도 함께 했다. 서로 그리워하던 아이들도 만나서 나만큼이나 행복해했다.

여행 기간 중 이틀은 우리 집에 와서 한방에 부대끼면서 잤다. 꿀 떨어지게 마주 보고 웃고 나의 휴일에 맞춰 함께 여행했다.

언니 가족의 첫 여행 날, 렌터카 예약이 취소되는 바람에 내 차를 빌려주러 공항 근처에 갔다. 날 알아보고 달려와서 안기는 언니네 둘째였다. 우리 집에 이틀간 머물면서 잠에서 깬 나를 자기 엄마처럼 꼭 안아주는 언니네 첫째였다.

못 본 사이 서로 잊지 않고 애틋한 특별한 손님과 다음에는 서울에서 다시 보자 약속했다. 언니네 가족을 공항까지 배웅해 주고 오는 길에 이호테우해변에서 저녁 산책을 했다. 지난번 혼자 낮에 왔을 때와 다르게 어둠 속에서 밝게 켜진 등대의 야경이 참 멋있는 날이었다.

배롱나무꽃이 피었습니다

여름이 되니 테라스 앞 나무에 꽃이 피었다. 꽃 모양도 아기자기하고 진한 분홍 색깔이 이쁘기도 했다. 밖에서 바라보는 배롱나무도 좋았지만, 테라스에 앉아서 예쁜 나무와 함께하고 싶었다. 그래서 며칠 전 남편과 얘기 나누다 테라스를 꾸며야겠다고 했다. 퇴근하고 집에 오니 그 새 테라스 청소를 깨끗이 해둔 남편이었다. 캠핑 의자를 꺼내고 파라솔을 펼쳤다. 돗자리를 난간에 걸쳐 단지에 지나다니는 사람들이 잘 보이지 않게 가려두고 자리에 앉아 보니 이 나무가 오롯이 우리 집만의 것처럼 느껴졌다. 캠핑온 것 같다며 좋아하는 아이들만큼 나의 아지트가 생긴 기분이었다. 한 시간 넘게 캠핑 의자에서 내려오지도 않고 편하게 자리 잡은 앙꼬도 아지트가 마음에 드는가 보다.올여름에 입히려고 사둔 자매의 원피스 색과 너무도 똑같은 배롱나무다. 아이들과 배롱나무를 함께 사진으로 담아야겠다.

새로운 가족이 생겼어요

출근하면 매일 찾아오는 검은색 길고양이가 있다. 몇 년 전부터 찾아오는 고양이라 깜댕이라는 이름도 있었다. 깜댕이는 초반에 나를 경계하며 멀리했지만, 사료와 간식을 챙겨주면서 조금씩 가까워졌다. 부르면 어디선가 나타나고 사료나 간식을 달라고 창가에서 기다리기도 했다. 손길은 거부했지만, 점점 마음을 내어주는 것을 느끼고 있다. 고양이를 제대로 키워본 적은 없지만 어릴 때부터 동물을 좋아하는 나에게 깜댕이를 만나는 일은 출근을 더 즐겁게 해주었다. 제주에는 길고양이들이 유난히 많은 것 같다. 대평리 여기저기에서 만난 고양이들만 해도 벌써 여러 마리였고 깜댕이가 먹을 사료를 준비해 두면 다른 고양이들도 몰래 먹고 가곤 했다.

몇 개월을 깜댕이와 함께 하면서 고양이에 대해 애틋한 감정이 자라

고 있었나 보다. 제주도 정보를 얻기 위해 가입했던 온라인 카페에 고양이 보호자가 되어줄 사람을 찾는 글들이 제법 올라왔다. 그러다 어느 고양이가 눈에 들어왔다. 양쪽 눈 색깔이 다른 오드아이의 새끼 고양이를 발견한 임시 보호자는 사랑을 많이 줄 수 있는 가족을 찾아주려는 중이었다. 가족들과 의논했지만, 앙꼬의 의견을 물어볼 수 없어 가장 큰 고민이었다. 그러다 남편과 진지한 대화 끝에 우리가 데려오기로 했다.

모찌 안에 앙꼬가 들어있는 것처럼, 둘이 잘 어울려 한 가족이 될 수 있기를 바라는 마음을 담아 고양이 이름을 모찌라고 정했다.모든 게 낯설어 꼭꼭 숨어버릴 줄 알았던 모찌는 몇 시간이 지나 우리에게 먼저 다가오고 장난을 건다.

3개월 된 남자아기 모찌야, 우리 가족이 된 걸 환영해.

이중섭 화가와 자구리 해안

자구리 해안에 적힌 글을 읽어보니 이중섭 화가가 제주에서 살 때 아이들과 자주 산책 나왔던 곳이라고 한다. 가난했던 시절이지만 가장 행복했을 시기였다던 이곳에서 게를 잡아다 음식을 해 먹었으며 그의 그림에 게가 자주 등장하는 이유가 이곳에서의 영향 때문이라고 한다. 서귀포 매일올레시장 근처에는 이중섭거리, 이중섭미술관, 자구리 공원, 하영 올레길, 제주 용천수가 흐르는 자구리 담수 욕장이 있다. 여름 감기에 걸려 있던 아이들이라 담수 욕장에서는 발목까지만 담그고, 자구리 공원 분수대로 올라와 우비를 입혀 놀게 했다. 갑자기 솟아오르는 물줄기를 둘째가 무서워하자, 첫째가 꼭 안아준다. 온몸이 젖을까 입힌 우비였지만 물줄기를 신나게 뛰어다니다 보니 어느새 다 젖어버린 꼬마들이다. 이왕 젖은 김에 점점 분수와 한 몸이 되어가고 있었다. 결국은 나의 손에 이끌려 집에 왔다. 아이들은 바닥 분수를 왜 그리 좋아할까? 나의 어린 시절엔 바닥분수가 없어서 잘 모르겠다. 그런데 나도 외가 근처 냇가에 가면 모기 밥이 되어가면서도 재밌게 놀았었다. 아이들은 그냥 물놀이를 다 좋아하는 것 같다.

3장.

억새

바람 따라 흔들리는
은빛 물결…

녹산로 황화 코스모스

깊은 여름, 가을이 되어가니 표선면 가시리 녹산로에 황화 코스모스가 피었다는 소식이 들려온다. 봄에는 유채꽃과 벚꽃 명소이고, 여름에는 수국이, 가을에는 황화 코스모스가 피는 곳이었다. 풍차와 어우러져 드라이브하기 좋은 곳이라고만 들었지, 봄과 여름 모두 보러 갈 시기를 놓쳤었다. 남편과 스노클링하러 멀리 가던 중 황화 코스모스가 핀 녹산로를 지나게 되었다. 긴 구간을 지나는데 꽃길이 끝없이 이어진 것 같다.

이렇게 예쁜 길에 벚꽃과 유채꽃 필 때 다시 와볼 수 있으려나? 그때도 내가 제주에서 살고 있으려나?

어른이들의 코난 비치 물놀이

항상 애들 물놀이 할 수 있는 곳으로 가서 아이들이 위험하지 않도록 돌보느라 우리끼리는 못 놀았으니까 어른 물놀이 하러 가즈아!

근무가 없는 월요일, 남편과 시간을 맞춰 애들이 어린이집에 간 사이 코난 비치에 갔다. 하얀 모래와 검은 바위와 바다에 물감을 풀어 논 듯한 에메랄드색만으로도 황홀한 곳이었다. 스노클링 왕초보들이지만 바다 물속에서 서로 손 잡아주며 알록달록 물고기들과 함께 수영하는데 감탄이 절로 나왔다. 이제 여름도 끝인데 이제야 재미를 알다니, 아쉽다. 스노클링이 처음이었던 남편은 내가 하고 싶다는 말에 그냥 응해준 것이었는데, 다음에 꼭 다시 해보고 싶다며 나보다 더 좋아했다. 집에서 코난 비치까지 왕복 3시간이라 물놀이는 2시간만 하고 왔지만, 충분하게 힘들었고 충분하게 재밌었다.

황토어싱광장에서 맨발로 황토 밟기

가을이라지만 아직도 무더운 날씨다.

서귀포 신시가지 숨골 공원에 황토어싱광장이 생겼다. 해가 뉘어진 시간에 아이들과 나섰는데 날씨가 오락가락했다. 아이들은 맨발로 꼼질꼼질 거리며 황토의 촉감을 느끼고 진흙을 모아 쌓더니 하더니 한라산을 만들었다. 꼭대기에 물이 고이게 만들고 백록담까지 표현했다. 놀다 보니 어느샌가 하늘에 쌍무지개가 떴다. 실제로 무지개를 만난 아이들은 무지개의 시작과 끝이 궁금한 모양이다. 미술 가운을 챙겨 입혀서 들어갔지만 놀다 보니 옷 곳곳에 황토 범벅이었다. 어싱광장 한가운데 있는 돌하르방도 온몸에 황토 범벅이다. 손과 발을 씻을 수 있는 수돗가가 있었지만 씻어도 계속 나오는 황토색 물에 돗자리를 깔고 차에 탔다. 놀 때는 즐거웠는데 빨랫감이며 진흙이 묻은 돗자리며 일거리를 안고 돌아왔다. 엄마, 리조트 물놀이가 좋아.

제주에 무료로 놀 수 있는 용천수와 계곡이 많지만, 물이 너무 차가워서 물놀이 안가겠다는 따님들이 물놀이는 또 하고 싶단다. 미지근한 온수 풀이 있는 수영장을 자꾸 얘기하는 바람에 휘닉스 리조트에 갔다. 아이들은 리조트 수영장을 아주 맘에 들어 했다. 아직 더운 날씨임에도 엄마와 아빠는 온수 풀에서 놀아주느라 땀이 줄줄 흘러내렸다. 애들이 감기에 걸리지 않을만한 물 온도에서 물놀이하는 건 다행이다. 실내와 야외를 오가며 오후부터 저녁까지 물놀이하고 씻으러 들어갔는데 이번에는 온탕에서 나올 생각이 없다. 남편은 혼자 씻으러 갔고, 나는 내 몸도 씻어야 하고 아이들도 씻겨야 하고, 머리카락이 긴 꼬마들 드라이까지 하느라 힘들었다. 남편은 혼자서 긴 시간을 기다려야 했고 나는 씻은 게 맞나 싶게 땀에 절여져 나왔다.

오늘도 열심히 일하는 쇠소깍

얘들아, 너희가 태어나기 전에 엄마는 아빠랑 여행 와서 쇠소깍 투명 카약을 탔었어…

신혼 초, 제주 여행 중에 너무 피곤하고 힘들어서 여행 중간에 차에서 자꾸 잠이 들었었다. 이상하다 싶었는데 집에 돌아가 테스트해 보고 첫째 임신을 알게 되었다. 연애 시절과 신혼 시절의 추억을 가진 쇠소깍에 아이들 데리고 쇠소깍 축제에 다녀오게 된 기분이 묘하다. 그때나 지금이나 쇠소깍은 여전히 아름다운 풍경을 보여주며 열심히 일하고 있다. 올 때마다 감탄이 절로 나오는 절경에 한 소리 해야겠다.

"뭘 이렇게까지 열심히 일할 일이야?"

516도로의 마방목지와 숲 터널

한라산을 지나는 제주 516 도로에 가다 보면 너른 초원의 말들을 만날 수 있고 숲 터널을 지나갈 수 있다. 편도 일 차선의 구불구불한 길은 50킬로의 제한속도에 답답하기도 하지만 제주를 느끼기 좋은 드라이브 길이기도 하다. 해안가 쪽 낮은 지대에서 비가 조금 내릴 때 여기는 바로 앞도 보기 힘든 안개와 많은 비가 내리기도 한다. 그럴 때마다 지나가는 차들은 비상깜빡이를 켜고서 조심조심 다녀야 하는 위험한 길이기도 하다. 둘째가 차에서 잠이 들어 첫째와 아주 잠깐 마방목지에 내려 말들을 구경하는 시간을 가졌다. 흐리긴 했어도 안개가 심하지 않은 날이라 말들을 만날 수 있었다. 다음에는 둘째도 함께 내려서 말을 보여줘야겠다.

입도 후 처음으로 나간 육지

여름휴가와 추석 연휴를 대신해 긴 휴가를 받았다. 제주도로 이사를 한 후 가보지 못한 친정과 시댁에 머물면서 진해 친구들도 만나고 왔다.

아이들도 진해 친구를 그리워했기에 전에 다니던 원에 미리 연락을 드렸었다. 첫째가 다니던 유치원에서 친구들과 선생님들께서 환영해주시고 3월까지 함께했던 반에서 시간을 보내다 올 수 있게 배려해 주셨다. 점심도 먹고 가라고 해주신 덕분에 친구와 더 있고 싶어 하던 첫째를 두고 나왔다.

둘째는 다니던 어린이집 친구들을 만나려고 반 친구들의 단지 내 산책 시간에 맞춰 데리고 갔다. 군인 아파트라 우리처럼 이사 간 친구들은 못 만났지만, 남아있던 친구들과 선생님을 껴안고 반가워했다. 둘째를 보고 반가워하던 친구들이 손잡고 함께 뛰놀며 까르르 소리가 끊이질 않았다.

두 아이가 너무 행복한 모습에 뭉클하기도 했고 미안하기도 했지만, 헤어져도 이렇게 다시 만날 수 있고 다음에 또 만나러 오자며 헤어짐이 영영 이별이 아니라고 얘기해줬다.

소아암 친구들에게 나눠 줄 머리카락

제주에서 어느 미용실에 가야 할지 매번 머뭇거리기만 했었는데 친정집에 와보니 아래채에 작은 미용실이 새로 들어와 있었다.

첫째는 돌쯤 배냇머리를 살짝 다듬었고 긴 머리를 좋아해 라푼젤처럼 길러줬다. 그리고 5살이 되었을 때 소아암 친구들이 치료하면서 빠져버린 머리카락 이야기를 해줬다. 둘째를 임신하고 출산하는 동안 길러낸 엄마의 머리카락도 아픈 친구들에게 선물을 줬다고 얘기하며 첫째의 의견을 물었다. 큰 결심을 한 첫째도 길렀던 머리카락을 잘라 기부하기로 하고 미용실에 다녀왔다. 당시 갑자기 짧아진 머리카락을 어색해하고 아쉬워한 건 첫째만이 아니었다. 좋은 일을 함께 해보고 싶은 마음에 아이에게 권했던 건 나였지만, 매일 같이 감겨주고 말려준 아이의 머리카락을 자르는 순간 몰래 눈물을 흘린 것도 나였다. 초반에는 아쉬워하던 첫째가 자신이 아픈 친구들을 위해 머리카락을 나눠주었다는 것이 내심 뿌듯했는지 그 이후로 또 나눠주겠다고 2년간 열심히 길러왔다. 그리고 두 번째 기부를 위해 이번에도 용기 냈다.

둘째도 돌쯤 배냇머리를 다듬은 이후 자른 적이 없다. 기부하려면 1년 정도 더 길러내야 할 것 같았다. 둘째는 머리 자르는 미용 가위가 얼굴 가까이에 오가는 것이 무서운지 자르지 않겠단다. 그래도 언니가 머리카락 자르는 모습이 궁금한지 지켜보고 있었다. 언니의 단발머리를 보고 그새 마음이 바뀌었는지 자기도 자르겠단다. 기부하기에 아슬아슬한 길이였지만 그래도 친구들에게 나눠주자며 두 아이에게 많은 칭찬을 했다.

고무줄에 감긴 머리카락 다발 두 개를 봉지에 담아 가지고 나왔다. 두 딸의 긴 머리카락을 감겨주고 말려주는 데 시간이 제법 걸렸는데 당분간 수월해지겠다.

친정엄마와 처음 해보는 여행

제주로 돌아오면서 친정엄마도 모시고 왔다. 엄마는 내가 서너 살쯤 첫 제주 여행을 하셨는데 날 안고 다니며 여행했었다고 이야기해 주셨다. 친정엄마가 두 번째 제주 여행을 오시기까지 35년쯤 걸렸다. 속상한 마음과 모셔 올 수 있어서 다행이다 싶은 마음이 공존했다.

나의 부모님은 늘 삶이 바쁘고 고단하셨다. 일 중독자처럼 개인의 삶이 없다 싶게 인생을 살고 계신 아빠와 함께 사느라, 엄마도 개인 시간을 가지기 힘든 날들이었다. 칠순이 넘도록 축산업을 하시는 아빠는 집을 비우지도 못하신다. 이번에 딸이 사는 집에 가보라고 엄마를 보내주신 것만으로도 감사할 따름이다. 태어나서 엄마와 영화 한 편 본 적 없는 내가 엄마랑 첫 여행이라니 엄마처럼 나도 설레었다.

3박 4일간 제주투어 패스권을 끊어 아이들과 친정엄마를 모시고 여기저기 가보기로 했다.

3대 모녀의 첫 여행지 함덕

우리 여행의 첫 시작 함덕해수욕장은 인기가 많은 곳답게 여전히 사람이 많았다. 함덕 바다가 코 앞인 카페에도 사람들로 북적였다. 바다와 서우봉을 배경으로 사진을 찍고 아이들은 잠깐 모래놀이에 빠져있었다. 친정엄마는 감회가 새로운 듯 한참을 서서 예쁜 바다를 보고 계셨다.

돌하르방미술관

제주투어 패스권으로 처음 간 곳은 돌하르방미술관이다. 약간의 세월이 느껴지기도 한 곳이지만 산책로를 따라 제주의 상징인 돌하르방을 다양하게 만날 수 있었다. 제주 여기저기에서 만날 수 있는 돌하르방이지만 한 번에 가장 많이 만날 수 있는 곳이지 않을까 싶다.

제주민속촌

제주민속촌은 과거 한라산 중턱에서부터 바다와 가까운 곳까지의 생활환경이 다름을 알 수 있는 곳이었다. 위치에 따라 집도 다르고 생활에 필요한 기구도 달랐던 제주만의 특색있는 공간들이 재현되어 있었다. 민속촌 곳곳에 포토존이 많았고 동물도 있었다. 어둑해질 때가 되면 조명이 켜져 조금 다른 분위기가 됐다. 들러 보기 좋은 곳이었다. 제주투어 패스권에 추가 요금 없이 입장할 수 있었던 점도 좋았다. 정해진 시간에 공연도 진행했는데 우리가 늦게 입장해서 보지는 못했다. 용인 한국민속촌과 비교할 수는 없지만, 구석구석 구경하려니 아이들과 제법 걸어야 했다.

가을동화 감귤밭

패스권으로 갈 수 있는 감귤 체험장이 여러 군데 있었다. 집과 아주 가까운 솜반천 근처에도 감귤밭이 있어 체험하러 갔다. 9월 중순은 극조생을 막 따기 시작했는데 아직은 새콤한 맛이 너무 강해 몇 개 따먹고 나니 속이 쓰렸다. 가을동화 감귤밭은 귤나무 사이에 예쁜 포토존이 있어 사진 남기기 좋은 곳이었다. 초록색의 귤이 주황색으로 바뀌면 더 맛있는 체험을 할 수 있을 것 같다.

서귀포 유람선

서귀포 앞의 문섬, 섶섬, 범섬 세 곳을 가까이서 볼 수 있고 해안가의 절경을 마주 볼 수 있는 서귀포 유람선은 유머러스한 해설이 더해져 즐겁기까지 했다. 대부분 배를 타는 패스권은 추가 요금을 내야 하는데 서귀포 유람선은 추가 비용을 내지 않아도 승선할 수 있는 장점으로 알짜 여행이 되었다. 바다에서 바라보는 폭포와 한라산의 풍경과 새연교까지 모두 볼 수 있다. 예약을 미리 해야 하기도 하지만 날씨 운이 좋아야만 승선과 절경 감상이 순조로운 여행 코스였다.

레몬뮤지엄

패스권 위주로 다니다가 음료도 마실 겸 들렀던 레몬 뮤지엄에는 칠

면조가 있는 비닐하우스가 있었다. 비닐하우스의 레몬은 귤처럼 아직

초록색이었다. 레몬이 노랗게 익어서 예쁜 시기에 다시 가면 좋을 것 같다.

레몬 모양의 디저트가 이색적이었다. 이탈리아 남부지역을 여행할 때 레몬 특산품이 많아 쇼핑하는 재미가 컸던 기억에 레몬 뮤지엄에도 관련 상품이 더 많이 생겼으면 하는 개인적인 바람이 들었다.

산양큰엉곶

곶자왈 숲에 동화 세상으로 꾸며 논 듯한 산양큰엉곶은 시기가 맞으면 반딧불이 축제를 볼 수 있다고 한다. 반딧불이 없어도 숲길을 따라 구경하면서 사진 남기기 좋은 곳이 길 따라 이어져 있었다. 많은 포토존 중에서도 문을 열면 기찻길이 나타나는 곳은 사진 찍으려는 사람들로 줄이 길었다. 가던 길 중간에 울타리 없이 돌아다니는 토끼를 만나고 부모님의 어린 시절에 봤을 법한 소달구지도 만날 수 있다.

여행경비를 아껴 준 투어 패스권

패스권으로 갈 수 있는 곳 중에는 할인된 가격으로 추가 요금만 내면 입장하거나 체험할 수 있는 것들이 많았다. 그리고 여행지 중간마다

패스권으로 갈 수 있는 카페들도 많이 있다. 카페마다 조금씩 차이는 있었지만 대부분 성인은 아메리카노를, 소인은 아이스티를 제공하고 다른 음료를 원하면 할인을 해줬다. 주변의 풍경을 감상할 수도 있는 카페들도 많았다. 친정엄마는 산방산과 용머리 해안이 가까이에 있는 한 카페를 좋아하셨다. 패스권으로 관광이나 체험하러 가는 길에 동선을 맞춰 들렀던 카페는 목을 축이고 쉬었다 가기 좋았다. 패스권으로 다녀보니 조금 더 적극적으로 움직이게 되어 무리가 되기도 했지만, 경비를 아낄 수 있어 경제적인 여행이었다.

패스권 없이도 알찼던 여행길

패스권 위주의 여행을 하다 보니 한 곳이라도 더 가보게 되는 장점이 있었지만 그만큼 부지런히 움직여야 했다. 그리고 입장료가 없이도 갈 수 있는 좋은 여행지도 많기에 해가 져도 친정엄마를 모시고 많은 곳을 돌아보려고 했다. 친정엄마는 천지연폭포와 산방산을 배경으로 한 사계 해안을 좋아하셨고 신창풍차해안의 바닷길 산책도 좋아하셨다.

나의 시선으로 사진에 담은 친정엄마의 모습은 귤 모자와 귤 선글라스를 쓰고 아이같이, 소녀같이 웃는 모습이 많았다. 친정엄마의 모습을 보면서 여러 감정이 들었다. 내가 그동안 모르고 지낸 엄마의 표정과 모습을 이제야 봤구나 싶었다. 진즉 이런 여행을 함께 해보지 못했던 아쉬움과 죄송한 마음, 이제라도 함께 여행해서 좋은 추억을 담았다는 안도감이 들었다. 여기저기 아픈 곳이 많은 연세가 되셔서 중간중간 힘든 기색을 보이기도 하셨다. 큰마음 먹고 오신 제주여서 더 많은 곳을 보여드리고픈 나의 욕심이 과했을까 걱정도 됐다.

어린 나를 데리고 제주도를 다녀가셨던 젊은 날의 친정엄마가 이제는 다 커버린 딸이 결혼하고 낳은 딸들과 3대가 여행하게 되어 남다른 기분이었던 것 같다. 이사 가기 전, 꼭 한 번 더 모시고 여행할 기회가 있길 바라는 마음이다.

선생님, 눈물이 났는데 이유를 모르겠어요

누군가가 물어봐도 나의 불안과 힘듦을 설명하기가 어려웠는데 어느 연예인이 인터뷰하면서 한 말이 너무 공감되고 그의 생각이 똑 닮아서 내 얘기만 같았다. 여러 가지 부정적 경험을 하고 나서 언제부턴가 잠재적 불안을 늘 안고 다니다가 무엇 때문인지도 모르게 와르르 무너질 때가 있다. 행복하다고 여기는 순간순간들이 너무 많은데 행복감을 온전히 누리지 못할 때가 있다. 너무 즐겁게 보낸 하루의 끝이 이유 모를 공허함과 슬픔이고, 정말 행복하고 재밌다고 하하 호호했던 날의 끝에 눈물일 때가 있다.

"선생님, 눈물이 났는데 잘 모르겠어요.지나고 추측해 보는 것들 뿐이에요"

어느 순간 슬프고, 불안함이 순식간에 크게 느껴지고 숨이 막히고 무서운 꿈에 시달리다가 깨어난 현실에서도 힘이 든다. 이사 다니며 만난 사람 중에 마음이 아픈 것 같은 누군가가 내 눈에 들어올 때가 있다. 매번은 아니지만 종종 상대방이 말하기 전에 나의 이야기를 해줄 때가 있다. 이 사람은 많이 안 아프고 잘 지나갔으면 좋겠다는 오지랖으로 나는 병원도 다니고 약도 먹고 있는데 이렇게 지내는 것도 나쁘지만 않다고 말이다. 나처럼 밝아 보이는 사람도 그럴 수 있으니 힘내라는 오지랖이다. 예전에 상담 치료를 하는데 검사지 결과에 가짜 자기를 너무 많이 쓰고 지내서 결과 자체가 가짜일까봐 걱정했다는 상담사님의 말을 듣고 진짜 나는 누군가에 대해 굉장히 고민됐던 날이 있었다. 그런데 가짜 자기도 너의 모습 중 하나이니 그렇게 고민하지 않아도 될 것 같다던 남편의 말을 듣고 아차 싶었다. 그 뒤로 진짜든 가짜든 내 모습의 일부분이니, 굳이 구분하지 않으며 편하게 지내고 있다. 나에게 공황장애가 있음을 오픈하고 나서부터 오히려 친구들이 많이 늘었다. 밝은 에너지의 친구들은 나를 더 밝게 해주고 즐겁게 해주고, 마음이 힘든 친구들은 각자 힘듦을 공감하고 나누어 주는 이야기에 용기를 얻기도 했다. 나의 소중한 친구들은 모두 멀리 있든 가까이 있든 마음은 늘 곁에 머물게 해줬다.내가 제주에 와서 만난 정신과 선생님은 6번째 선생님이다. 의사 선생님과 유대관계가 만들어지면 또 이사 가게 되어 새로운 의사를 찾아야 한다. 내년이면 다시 이사 가서 새로운 병원을 알아보고 타인에게 선 넘지 않고 최대한 상처 주지 않으려고 애쓰겠지. 이사 간 곳에서도 눈에 밟히는 누군가를 만나 또 마음을 나누고 있을 나를 만나겠지?

밝은 사람도 정신과 다니고 약 먹고 그래요! 뭐 그럴 수도 있지, 안 그래요?

엄마의 일터는 아이들의 놀이터

내가 일하는 곳은 여름 휴가철과 추석 연휴가 1년 중 가장 바쁘다. 늦은 여름휴가 겸 추석 연휴를 대체하여 긴 휴가를 다녀온 이후로 추석과 개천절까지 이어진 긴 연휴 기간에 휴일 없이 출근했다.

어린이집에 가지 않는 아이들을 남편이 돌보기도 했지만, 돌봄을 못하는 날에는 엄마랑 같이 출근했다. 가게 마당의 동백 열매가 장난감이 되고 텃밭의 농부가 되고 자갈 마당에서 공놀이했다. 아이들은 핀사를 먹고, 맞은 편 부티크 호텔에 핀 핑크뮬리 구경하고, 길고양이 간식을 주었다. 가끔 또래 아이가 있는 손님이 식사하러 오면 같이 어울려 놀기도 하고, 간식을 나눠주고 오기도 했다. 늘 친절하고 예쁜 가게 이모를 좋아하는 아이들은 틈만 나면 쫓아다녔다. 엄마의 일터지만 아이들이 오면 놀이터가 된다.

KANGOL

남편 친구들과 함께 제주 올패스 투어

여행하기 좋은 10월이다. 남편 친구 여럿이 그들의 가족들과 제주로 여행을 왔다. 남편의 친구지만 동갑내기들이라 이제 나와도 10년째 친구들이 되었고, 가족을 이룬 친구들의 아이들과도 여러 번 어울려 모두 익숙한 얼굴들이다. 시간과 상관없이 깊어지는 인연이 있고 시간이 쌓여 어느샌가 모르게 깊어 버린 인연이 있다면, 남편에게는 시간과 상관없이 깊은 친구였고 나에게는 시간이 만들어 준 깊은 인연들이다.

이번에는 친구들과 함께 제주 올패스권을 끊어 다녀보기로 했다.

성산포 유람선의 출항 취소와 광치기해변

유람선 타기로 한 날 아침, 바람이 너무 불어서 예약했던 성산포 유람선 출항 취소 연락을 받았다. 숙소에서 성산포 근처까지 가 있었던

터라 광치기해변에서 잠깐 놀다 가기로 했다. 물이 차올라서 광치기해변의 멋진 모습은 못 봤지만, 해안가에 예쁜 산호 조각, 소라껍데기, 조개껍데기를 찾아다니며 시간을 보냈다. 아이들은 보물찾기라면서 예쁜 색깔의 빈 껍데기들을 서로 찾겠다며 초집중 상태였다.

조각들을 모으고 보니 진짜 바다의 보물이었다.

목장 카페

이동하던 중 목장 카페에 들러 쉬었다 가기로 했다. 카페 밖 너른 터에서 동물 구경하고 아이들은 자기들끼리 뛰놀고 여기저기 돌아다니며 그저 신났다. 사실 어른이(어른아이)들도 신났다. 밀린 수다에, 시시콜콜한 얘기가 오가고 시원하게 트인 목장 앞에서 친구들과 서로 풍경을 담아주고 있었다.

오설록과 이니스프리 제주하우스

오설록에 오면 주문하는 본건물보다 별관 같은 바로 뒤 건물에 자리 잡는 것을 선호한다. 올 때마다 본건물은 사람이 너무 많아 정신이 없다. 그래서 주문이 끝나면 밖으로 나와 뒤 작은 건물 통유리창 앞에 자릴 잡는다. 덜 시끄럽고 덜 북적거려서 좀 더 편하게 느껴진다. 오설록 녹차밭에서 노란 수술을 달고 있는 하얀색 꽃을 봤다. 처음 보는 녹차 꽃이었다. 오설록 옆 이니스프리 하우스 앞을 산책하던 둘째는 로즈메리 잎을 따서 엄마에게 선물했다. 로즈메리 향을 너무 좋아해서 눈에 보이기만 하면 얇은 잎을 따오곤 했는데 이번에도 역시나 잎을 따서 코에 대고 걸어오고 있었다.

새별프렌즈의 새별친구들

아이들이 좋아할 것 같아 새별프랜즈 동물원에 왔다. 동화 세상에서 방금 뛰쳐나온 듯한 귀여운 얼굴이 매력적인 스위스 블랙 노즈 양

을 보러 왔는데 세.상.에.

까만 얼굴의 순둥이 양들이 너무너무 귀여워서 참을 수 없을 지경이다. 새별프랜즈에 많은 동물이 있지만 블랙 노즈 양한테 푹 빠져서 헤어 나오기 힘들었다. 아이들도 어른들도 좋아할 동물원이었다. 알파카 친구들이 있는 방목장에도 들어가 볼 수 있었다. 새별오름이 배경이 되는 이곳은 초원의 언덕 뒤에 핑크뮬리로 유명한 카페도 보인다. 강아지도 만져보고 양을 쫓아다녔던 아이들은 알파카의 눈을 보고 무섭다더니 이내 친근하게 다가가 본다.

새별오름의 석양

새별프렌즈에서 놀다 보니 해질 시간이 다가오고 있었다. 새별오름이 노을 명소라 하여 급하게 오름으로 향했다. 아이들 포함 총 11명과 여행을 시작했는데 새별오름에 오른 건 어른 셋뿐이다. 아이들은 남편한테 맡겨놓고 해가 질까 봐 정상까지 단숨에 올라갔다. 오름에 함께한 친구가 말하길, 제주 여행 중 새별프렌즈는 힐링이었고 가장 기억에 남고 완벽한 건 새별오름이랬다. 바다에 떠서 조업하는 배마저 오름에서 내려다보니 바다에 빠진 별 같다 했다. 여사친보다 더 감성적인 남사친의 말에 나도 끄덕였다. 석양과 나를 너무 예쁘게 사진으로 담아주는 친구 덕에 더 만족스러운 여행이 되었다.

나를 사랑해 주는 또 다른 가족

제주의 10월은 갈대, 핑크뮬리, 팜파스가 한창이다. 비가 잦은 제주에서 비도 쉬어 가는 중이다. 그리 춥지도, 덥지도 않고 선선한 바람이 너무 좋은 계절이다.

코로나19가 유행이던 시기, 둘째가 생후 200일을 앞두고 남편이 섬으로 발령받아 갔다. 예전 같으면 주말에 한 번씩 남편을 보러 갈 수 있는 곳이었지만 코로나19는 가족의 만남조차 허락하지 않았다. 혼자 서울 관사에 남아 4살 된 첫째와 기어다니지도 못하는 둘째를 육아하면서 너무 지쳐있었다. 그때부터 이미 우울증과 공황장애약으로 버티던 힘든 시기였다. 남편이 공식적으로 휴가를 나오게 된 건 우수군인으로 선정되어 포상으로 제주 여행을 가게 되었을 때였다. 포상 휴가를 둘째의 첫돌에 맞춰 처음으로 집에 온 게 6개월 만이었다.

그 힘든 시기의 나를 안쓰러워해 주고 가까이서 힘이 되어준 육군 가족이 있었다. 지인을 통해 알게 된 사이였지만 그 가정의 두 아이와 우리 가정의 아이들이 모두 같은 나이였고, 둘째들끼리 같은 어린이집에 다니게 되면서 더 가까워졌다. 나의 생일에도 혼자 아이들을 돌보고 있는 나와 두 아이를 집으로 초대해서 생일상을 차려 준 고마운 가족이 제주에 왔다. 진해로 이사 갔을 때는 시댁이 근처라며 보러와 주고 제주에 있으니 여행 삼아 또 보러와 주었다. 나한테 무척이나 고맙고 소중한 언니네 가족이다.

오랜만에 얼굴을 보니 참 반갑다. 곧 제주를 떠나 새로운 곳으로 발령받아 갈 남편의 상황을 이야기하면서 언니네 가족과 다음에는 어디에서 만나게 되려나 하며 우스갯소리를 나눴다. 언니네 가족과 몇 시간을 이야기 나누다 헤어졌다. 어딜 가더라도 어느 지역에 있더라도 서로 얼굴 보러 갈 사이이고 만나려고 노력하는 사이임에 부모 형제와 안녕하듯 그렇게 빠빠이 했다. 또 보자구~ !

팜파스가 예쁜 국세공무원교육원

서귀포의 제주월드컵경기장에서 칠십리 축제가 열렸다. 아이들과 플리마켓 구경하고 푸드 트럭에서 간식을 사 먹고 나왔다. 차로 금방인 곳, 팜파스그라스가 유명한 국세공무원교육원으로 갔다. 생각보다 팜파스 키가 컸고 넓지 않아도 포토존이 잘 꾸며져 있었다. 주차하고 사진 찍고 잠깐 감상하는 정도라면 30분이면 충분한 곳이다. 팜파스 사진 찍는 게 전부인 곳이라 관광으로 오긴 아깝지만, 시간을 크게 들이지 않아도 되는 곳이라 사진 남기러 잠깐 들리기 좋은 것 같다. 가을바람 맞다가 먼지바람도 맞았다. 아이들 사진을 찍어주면서 엄마를 찍어줄 사람이 없다고 얘기하니 첫째가 나의 모습을 담아주었다. 이제 밤은 쌀쌀 해졌지만, 아직도 한낮의 볕은 뜨거웠다.

제주에 사는 소꿉친구

제주도에 이사 오면서 결혼 후 제주에 사는 소꿉친구와 가끔 연락을 주고받았다. 시댁이 제주인 친구는 이미 몇 년째 살고 있다. 초등학교는 따로 다녔지만, 유치원, 중. 고등학교 모두 함께 다닌 오랜 친구와 한번은 만나자 했었는데 이제야 만나게 됐다. 친구가 소개해 준 맛집에서 황게를 처음 맛봤다. 살이 달고 고소해 맛있고 한 번씩 생각날 것 같은 황게의 맛이었다. 제주에는 황게가 잡힌다고 했다. 애플망고를 직접 재배하는 대형온실 카페로 자릴 옮겼다. 바나나, 파인애플, 패션프룻츠, 레몬, 커피 열매, 선인장 등 열대 식물과 열대과일을 볼 수 있는 곳이었다. 카페 안팎으로 여러 마리의 고양이가 카페 내부와 온실, 야외정원을 자유롭게 돌아다니고 있었다. 카페 앞은 댑싸리가 한가득 있었다.

제주를 떠나기 전 다시 친구 만나러 와야겠다. 맛있는 곳을 많이 알려주는 친구를 따라 또 가봐야겠다.

흑룡만리 제주 밭담

제주는 어딜 가도 많은 돌담을 볼 수 있다. 집의 담벼락, 밭의 테두리, 무덤가 등 돌담으로 된 곳을 쉽게 볼 수 있다. 복잡한 제주 시내를 벗어나면 곡선과 직선할 것 없이 길게 이어진 돌담 풍경이 독특하여 자꾸만 눈길이 갔다. 제주에서만 볼 수 있는 기분 좋은 풍경이다. 귤 농사가 많은 서귀포와 조금 다르게 한림이나 구좌 지역을 지나다 보면 밭 농작물과 함께 유난히 긴 돌담을 볼 수 있다.

곧 밭담 축제가 열린다고 했다. 돌담은 알겠는데 밭담은 뭐고 밭담 축제는 뭘 하는 건지 궁금해졌다. 단어부터 생소했던 밭담을 알아보니 세계중요농업유산이라고 했다. 밭의 경계를 나누고, 방목하고 키우던 말과 소가 밟지 않도록 보호하면서, 바람이 많이 부는 제주의 바람으로부터 농작물을 보호하는 기능도 있다고 한다. (출처_한국향토문화

전자대전) 밭담은 구불구불 길이가 길기도 하여 흑룡만리라고 부르기도 하고 밭담을 주제로 한 그림책들도 있었다.

엄마가 알게 된 밭담 지식을 첫째에게도 알려주고 이야기 나누었다. 밭담이 왜 생겼는지, 어떤 기능을 하는지 설명해 주고 지나가다 보인 밭담의 풍경도 알려주었다. 곧 있을 축제에 가보고 밭담 그림 그리기도 해보자고 했다. 축제의 체험들도 유익한 게 많아서 예약까지 했는데 정작 축제가 열리던 날 첫째가 아파서 가보지 못해 아쉬웠다. 사실 아이들 핑계로 내가 가고 싶었는지도 모르겠다.

혼자 여행 온 고향 친구

초등 동창이자 가장 오래된 나의 남자 사람 친구가 갑자기 연락 와서 혼자 제주에 오겠단다. 나와 남편의 연애와 결혼을 모두 지켜봐 주고 남편과도 친하게 지내는 친구라 우리 집에 머물게 했다. 답답한 마음을 풀고자 혼자 온 모양이다.밤 12시 가로등마저 다 꺼진 외돌개 주변을 나와 둘이서 걷다 오고, 내가 근무하는 동안 남편이랑 새별오름에 가서 노을을 보고 왔다고 했다. 일하는 곳으로 초대해서 핀사를 만들어주고 저녁엔 생선구이가 한가득 나오는 곳에서 식사 시간을 가졌다.

오랜 친구라 무슨 말을 해도 편했다. 멀리 사는 나를 대신해 친정 부모님을 도와주러 가 준 적이 있을 정도로 이제는 막역한 사이다. 막말하고 까불어도 다 받아주는 두 남자, 내가 도와달라고 하면 언제든지

나서 줄 두 남자가 있어 든든하다. 며칠 뒤, 친구의 어머니가 직접 양봉하신 꿀을 보내주시면서 당신의 아들을 잘 지내다 오게 해주어 고맙다며 연락을 주셨다.

"엄마, 제가 친구 덕을 더 많이 보고 있어요. 감사합니다."

첫째와 남편의 애틋한 여행

11월부터 남편은 서울에서 출근하게 됐다. 이동을 고작 일주일 앞두고 확정 소식을 듣게 됐다. 군 특성상 임박해야만 알 수 있는 정보가 대부분이라 가족 입장으로는 답답하고 야속할 때가 많다. 미리 계획할 수 없는 것이 많다 보니 불편할 때도 많다. 훌쩍 가버리고 나면 남은 몫은 또 내 것이다.

곧 헤어져야 하는 아빠와 단둘이 여행하고 싶다는 첫째의 소원에 남편은 1박 2일 동안 첫째와 시간을 보내고 왔다. 말타기, 카트 타기, 메밀 꽃밭 구경하기, 소품 가게에서 쇼핑하기 등등 알차게 보내고 온 모양이다. 덕분에 둘째는 엄마와 오붓한 시간을 가졌다. 아니, 오붓한 시간인 줄 알았으나 하룻밤 없는 아빠가 보고 싶다고 우는 둘째였다. 이제 아빠가 가고 나면 어쩌려나? 늘 자상하고 다정한 아빠의 빈자리 걱정이 벌써 시작되었다.

둘째와 브릭캠퍼스 데이트

첫째가 아빠와 이별(?) 여행 가고 없는 동안 둘째는 엄마와 둘만의 시간을 가졌다. 둘째가 태어나기 전 첫째와 둘이 한 추억은 많은데 둘째만 데리고 어디로 가본 추억이 드물다. 코로나19와 아빠가 섬으로 1년 가 있는 동안 혼자 둘을 챙기느라 기회가 없었다. 아이 둘을 데리고 다니다가 하나만 데리고 다니는 일은 이제 쉬운 일이 돼 버렸다.

블록 놀이를 좋아하는 둘째와 브릭 캠퍼스에 다녀왔다. 어른의 눈에도 대단해 보이는 블록 작품들이 많았는데 둘째에게는 아직 작품을 감상하기보다 플레이존에서 노는 걸 즐거워했다.

정방폭포와 서복전시관

두 밤 자고 나면 서울 근무지로 가는 남편이다. 아이들과 조금이라도 함께 시간을 보내자며 퇴근하자마자 정방폭포와 서복전시관에 다녀왔다. 정방폭포를 보러 내려가기 전에 옆길로 가면 폭포로 떨어지는 물이 흘러 내려오는 곳을 만난다. 진시황제에게 바칠 불로초를 구하러 온 서불이 지나가다 라고 새기고 갔다 하여 서귀포라 불렀다는 설화를 바탕으로 한 서복전시관 주변과 바다로 시원하게 떨어지는 폭포를 구경하고 돌아왔다.

친정엄마와 서귀포 유람선을 타고 바다에서 바라본 정방폭포의 모습도 멋졌는데 바위틈 가까이서 바라본 정방폭포 역시 웅장하고 멋있었다.

돌기둥 절벽 주상절리

남편이 가기 전날, 마지막으로 산책한 곳은 대포동 주상절리다. 주상절리 절경을 볼 수 있는 산책로와 전망대를 새롭게 정비하느라 한동안 가볼 수 없었는데 다시 입장객을 받는다는 소식을 접하고 다녀왔다. 육각형의 돌기둥 절벽이 신비롭다. 서귀포 해안을 다니다 보면 다른 곳에도 주상절리 형태를 한 곳들이 있었다. 대포동의 주상절리 형태가 선명하고 많아서인지 주상절리를 감상할 수 있는 전망대는 이곳뿐인 듯하다.

이별도 스윗하게

토요일, 육지로 떠날 채비를 마친 남편이 아이들을 내게 데려다주러 왔다. 집 청소며 쓰레기 정리며 많은 집안일을 끝내놓고 오는 길에 꽃다발을 사 들고 온 남편은 힘들게 애들 키우고 있을 내가 걱정이었나 보다.

남편이 떠나면서 장문의 메시지를 보내왔다. 손편지로 마음을 전하고 싶었는데 집안일 하느라 시간이 촉박하여 그러질 못했다며 미안함과 고마움이 묻어나는 마음을 묵직하게 전해왔다. 기회가 허락되는 한 최대한 제주에 오겠다고 했다.

남편! 제주에서 지내는 동안 남편도 나만큼 힘든 시간을 보냈었는데 그 와중에도 우리 가족 잘 지켜줘서 고마워. 늘 이해해주고 안아주던 당신만큼 그러질 못해서 미안해. 태어나서 내가 가장 잘한 일은 남편이랑 만나서 결혼한 거야. 혼자 외롭고 제대로 된 식사 챙기기 어려울 테지만, 우리가 이사 갈 때까지 잘 지내고 있어. 몇 개월일지, 반년 이상일지 모르겠지만 나도 씩씩하게 잘 지내고 애들 돌보고 있을게. 각자 잘 지내보자. 짝꿍, 잘 가!

마르형 하논분화구

아빠와 안녕하고 엄마와 퇴근길. 둘째는 잠이 들었다. 항상 출퇴근 하는 일주도로의 언덕에 잠깐 멈췄다. 호근동과 서홍동 그 중간쯤의 전망대에서 내려다보이는 곳이 하논 분화구이다. 논농사가 불가한 제주도의 유일한 논농사를 하는 곳이라 적혀 있다. 분화구 전망대 주변에는 노지 귤이 한창 익어가고 있다. 제주도는 구석구석 어디든 특별한 곳이다. 많은 가치와 의미가 있는 곳이다. 며칠씩 여행으로 왔을 때는 만나지 못했던 곳을 살아보는 동안 조금씩 알게 되는 것 같다.

에피소드 없는 날이 평화로운 날

남편이 가고 나니 역시나, 둘이서 돌볼 때는 일어나지 않을 일들이 혼자서 아이들과 동물들 챙기다 보면 몇 배로 힘든 일들이 연속해서 터져 버린다. 집에 오자마자 한 가지 일을 하고 있을 때 동시에 터지는 문제들과 문제 해결하느라 정신없는 사이에 일어나지 않아도 될 문제까지 터진다. 둘이서 하다가 혼자서 하면 그냥 두 배만 힘들면 되잖아? 그런데 항상 두 배가 아니라 서너 배쯤 힘든 일이 생긴다.

둘째가 첫째만큼 크면 괜찮아지려나…

앙꼬가 응가를 밟고 나와서 발을 씻기고 바닥을 닦는 동안 둘째는 욕실에서 놀다가 쉬를 했고 엄마를 불러도 응가 수습하느라 빨리 오지 않자 쉬를 밟고 거실로 나왔다. 바닥 청소를 끝내기 무섭게 다시 바닥 청소를 하는데 아이는 계속 욕실에서 엄마를 기다리고 있고, 아이를 먼저 챙기자니 닦지 못한 바닥을 누군가가 또 밟을 게 뻔하다. 혼자서 넷을 감당하려니 우선순위를 정하기도 어렵다. 급한 일들을 수습하고 나면 아이들 식사를 챙기면서 빨래를 돌리고, 잠들기 전까지 또 치우고 정리하다 보면 몸도 마음도 지쳐있다. 에피소드 없는 날이 평화로운 날이다. 진심으로 별다른 이벤트가 없길 간절히 원합니다. 제발요.

4장.

동백꽃

설경 속에도 아름다운…

토요일의 육아 동지

남편이 가고 나서부터 토요일마다 아이들과 함께 출근하고 있다. 함께 일하는 모두가 배려해 준 덕분이다. 매주 토요일에 아이들과 출근하면 나보다 잘 놀아주고 챙겨주는 그녀는 아이들이 가장 좋아하는 이모가 됐다. 가끔 만들어 가는 음식을 나눠 먹을 때면 언니 음식이 맛있다며, 잘 챙겨줘서 고맙다고 늘 예쁜 말을 건네주는 동생은 매주 토요일마다 육아 동지가 되어준다. 띠동갑의 동생은 나에게 제주도 절친이 되었고 가끔은 따로 만나 시간을 보내기도 하였다.

지겨운 병원 옮기기

아이들이 등원한 월요일. 오전부터 병원을 다녀왔다. 정신과에 가서 한 달분의 약과 필요시 먹는 안정제를 그득 받아오고 내과에 들러 지난주 검사한 위 조직검사 결과도 듣고 왔다. 다수의 용종 발견이지만 위험한 건 아니어서 주기적으로 추적검사하기로 했다.

내 몸에는 제거 수술을 받아 편도와 담낭(쓸개)이 없다. 6개월에서 1년마다 간 수치를 확인해야 하고, 위와 가슴은 당장 문제 되지 않는 혹들이 있어 혹시나 자라고 있는지 확인해야 한다. 정신과 약은 절대 떨어지면 안 된다. 이사를 할 때마다 아이들이 다닐 소아청소년과보다 내가 찾아다녀야 하는 병원이 많아 매번 번거롭다. 처음 가는 지역에서 어느 병원이 잘하는지 알아보고 병원이 나와 잘 맞는지 다녀보다가 정착하는 병원이 생기면 또 전원한다. 가끔은 주기적인 관찰이 아니라 내

킬 때까지 미루다 겨우 가기도 한다. 손 많이 가는 내 몸뚱이를 원망하지는 않지만 지겹다. 귀찮다. 힘들다. 버겁다…

상대적으로 가볍게 갈 수 있는 피부과, 안과, 정형외과, 이비인후과는 굳이 언급하지 않고 지나갈 정도지만, 나에게 모든 병원은 설명이나 자료를 갖춰야 하는 수고스러운 곳이다.

첫째 임신 때는 이벤트가 많고 이사로 인해 산부인과를 다섯 번이나 옮겨야 했다. 착상 위치가 좋지 않아서, 다운증후군 고위험이어서, 임신 중기에 코피를 30분에서 1시간씩 흘리는 적이 많아서, 출산 시 과다출혈 고위험 산모에 공황장애가 와서, 이유는 다양했다. 창원에서 부천으로, 부천에서 인천으로, 일반병원에서 대학병원으로, 막달은 매주 응급실을 다녔고 출산 후 조리원에서 119에 실려 가기도 했다.

이사로 인해 첫째는 인천에서 태어났고 둘째는 서울에서 태어났다. 지역과 진료과마다 옮겨 다닌 병원을 나열 하자면 진저리 칠 정도다.

한약 복용하고 간 수치가 평균보다 수십 배 올라서 응급수술을 하지 못한 채 대기하고 있었던 적이 있다. 9일간 입원하면서 수술 대기와 금식으로 단 3끼만 먹으며 버틴 적도 있다. 해당 건으로 한국소비자원을 통해 의료소송으로 이어졌다. 승소한 뒤 한국소비자원의 요청으로 JTBC 뉴스룸에 인터뷰 기사가 나간 이색(?) 경험까지, 병원 에피소드

마저 버라이어티하다. 물론 내 몸에서 일어난 일들이지만 이사가 잦은 군인 가족이었기에 더 많은 일을 겪을 수밖에 없었다.

다행스러운 건 정말 아픈 사람들에 비하면 큰 병들이 아니었다는 것, 자잘하게 지나갈 수 있는 일들이었다는 것. 지금은 스스로 몸을 잘 관찰하고 있다는 것이다.

아이가 아프면 남편의 빈자리는 커진다

편도염이 심해 39.5도 고열이던 둘째가 등원하지 못했다. 일을 빠질 수도 없고 맡길 곳도 없었다. 다행히 이틀 만에 열이 내리고 컨디션이 좋아졌지만 이틀간 출근을 함께했다. 손님이 없는 틈에 등에 업고 풀숲 감나무 구경하다가 내 바지에 도깨비 풀이 어마어마하게 붙어 버렸다. 도깨비 풀이 엉겨 붙어 고슴도치가 된 엄마 다리를 심각하게 바라보던 둘째가 너무 귀엽다. 길고양이가 한 번씩 들어가는 라탄 바구니에 들어가서 야옹거린다. 아이가 아픈 날은 어쩔 수 없이 남편의 빈자리를 더 크게 느낀다. 아프지 말자, 얘들아.

선과장으로 향하는 귤 트럭들

11월의 중순이다. 노랗게 익은 귤밭 앞에 노란색 작업용 컨테이너가 놓이면 며칠 내로 귤이 수확되고 없어졌다. 집 앞에도 컨테이너가 놓이더니 귤을 싣고 갈 차가 왔다. 이제 집 근처 예쁘게 달린 귤들이 곧 없어지겠지 싶어서 앙꼬와 산책길에 귤나무 앞에서 사진을 남겨보았다.

퇴근길에 선과장으로 향하는 귤 트럭들과 함께 도로를 달리는 요즘이다. 육지와 다르게 11월이 시작되어도 낮에는 덥다 싶더니 이제야 제법 쌀쌀하다. 그러다 갑자기 하루가 훅 추워진 날, 한라산이 하얀 모자를 썼다. 한라산 꼭대기에 첫눈이 내렸다.

귤꽃 향기가 나던 봄이 얼마 전이었던 것 같은데 벌써 수확의 계절이 되었다.

헨젤과 그레텔의 마귀할멈이 된 엄마

둘째가 요즘 헨젤과 그레텔 뮤지컬 동요에 빠져서 매일 스무 번쯤은 듣고 헨젤과 그레텔 책을 가져와서 읽어달라고 한다. 헨젤과 그레텔이 아이의 일상이라 엄마의 시선에서는 걱정될 정도다. 처음에는 그냥 읽어주기만 했는데 그릇된 가치관이 생기지는 않을까 염려되어 엄마, 아빠는 아이들 버리고 오지 않고 동화책에 나오는 엄마, 아빠는 잘못된 행동을 한 것이라 알려줬다. 먹을 게 없고 힘들어도 부모는 아이들을 버리면 안 된다고, 그런 어른은 벌 받는다고 말했다. 그리고 새엄마도 좋은 사람 많다며 안 좋은 인식을 심어주고 싶지 않은 나의 마음을 전달하기 바쁘다. 가게에서 내가 근무하기 전 핼러윈데이에 사용했던 마귀할멈 가면을 발견했다. 장난삼아 가면을 쓴 김에 마귀할멈이 직접 영상 편지를 보낸 것 같이 연기하며 동영상을 찍었다. 자아가 생기

고 성장하면서 말을 잘 듣지 않는 시기가 온 둘째에게 엄마 말씀 잘 듣고 언니와 사이좋게 지내라고 했다.

"얘들아~나는 헨젤과 그레텔에 나온 마귀할멈이야~. 요즘 헨젤과 그레텔을 좋아한다고 해서 내가 찾아왔단다. 너희가 아는 것처럼, 그렇게 무서운 할머니는 아니야. 그런데 말을 잘 듣나~ 안 듣나~ 지켜 보고 있단다. 엄마 말 잘 듣고 언니랑 사이좋게 지내야 해~. 안 그러면 할머니가 또 나타날 거야~ 얘들아, 잘 지내고 있어야 해~ 할머니는 이만 가야 해. 안녕~"

어린이집에서도 장난치고 말썽부리는 건 아닌가 싶어 물어보면 선생님께 혼날까 봐 어린이집에서는 말 잘 듣는데 엄마 말을 안 듣는 거라고 이실직고하는 둘째도, 아빠가 없어서 엄마 힘들게 하지 않으려 항상 노력하는 첫째도 마귀할멈 영상을 보고 즐거워했다. 자꾸 보여달라고 했다. 왜 엄마 가게에 온 거냐며, 둘째는 자꾸 질문을 던진다.

"내가 마귀 할머니 무서워할까 봐 나 말고 엄마한테 간 거야?"

마귀할멈 옷이 엄마 옷이랑 똑같은데 엄마의 자체 음성변조와 연기가 찰떡이라 알아채지 못하나? 마귀할멈 아니고 엄마야~ 엄마!

신화테마파크에서 불태운 엄마

전부터 놀이동산 가고 싶다는 아이들 말에 마음먹고 둘을 데리고 나섰다. 아빠 없이 혼자서 괜찮을지 걱정이었지만 아빠의 부재를 많은 부분에서 느끼고 하고 싶지 않은 나의 욕심이 발동했다. 다행히 육지의 놀이동산에 비하면 크지 않아서 데리고 다닐만했다. 분명 그랬다. 초반에는.

사람이 많지 않아 바로 탈 수 있어서 줄 서느라 지치지 않아도 되는 곳이라 마음에 들었다. 코튼 캔디 자판기 앞에서 아이들이 솜사탕 타령이다. 디자인을 고르면 자판기가 솜사탕을 척척 만들어 내는 게 신기했다. 머리카락과 얼굴에 솜사탕 범벅을 해가며 먹는 내내 행복해하는 자매들이다.캐릭터 공연도 보고 폐장 때까지 지치지 않고 노는 아이들을 챙기느라 점점 지쳐갔다. 8시 폐장 시간에 나오니 10분 뒤에 불꽃놀이와 라이팅쇼를 보려는 사람들이 테마파크 앞에 모여 있었다. 그래, 이왕 온 거! 이것까지 보고 가자. 화려한 불꽃이 터질 때 지친 엄마도 하얗게 불탔다. 파사삭~ 늦은 저녁을 먹고 집에 와서 목욕시키고 재우니 11시다. 이제 또 밀린 일을 시작해 볼까? 개 아들 산책하고 아토피가 있어 매주 목욕 때마다 해줘야 하는 약욕 스파까지 끝냈다. 아침에 일어나면 아이들 소아과 진료, 등원, 지인과의 약속도 있다.

'나 괜찮은 거 맞지? 하…

아니. 낮에는 데리고 다닐만했는데 나 안 괜찮아. 안 괜찮은 게 맞아!'

고양이 훈련사

우리 가족이 된 모찌가 생후 6개월쯤 됐다. 이제는 길고양이가 아니라 가족 곁에 먼저 다가와 애교도 부리는 완벽한 집고양이가 되었다. 밥그릇에 사료가 다 떨어져 가면 밥그릇 주변에 가서 야옹거리고, 간식이 먹고 싶으면 간식을 넣어둔 선반 아래에서 올려다보고 야옹거린다. 초보 집사가 잘 알아들을 수 있게 표현해 주는 모찌가 엄마 눈에는 그저 똑똑이 귀요미다. 고양이는 강아지처럼 훈련하는 것이 힘들다 하던데 츄르 먹이면서 '앉아'와 '손'을 연습시켜 보았다. 앙꼬가 간식 먹을 때 하는 걸 봐서 모찌가 어느 정도 알게 된 것인지 알 수 없지만, 일주일간 세 번 연습한 것 치고는 너무 잘 해냈다.

'오구오구~ 내 새끼, 잘 한다냥!'

나는 동물 아가들에게도 고슴도치 엄마가 된다.

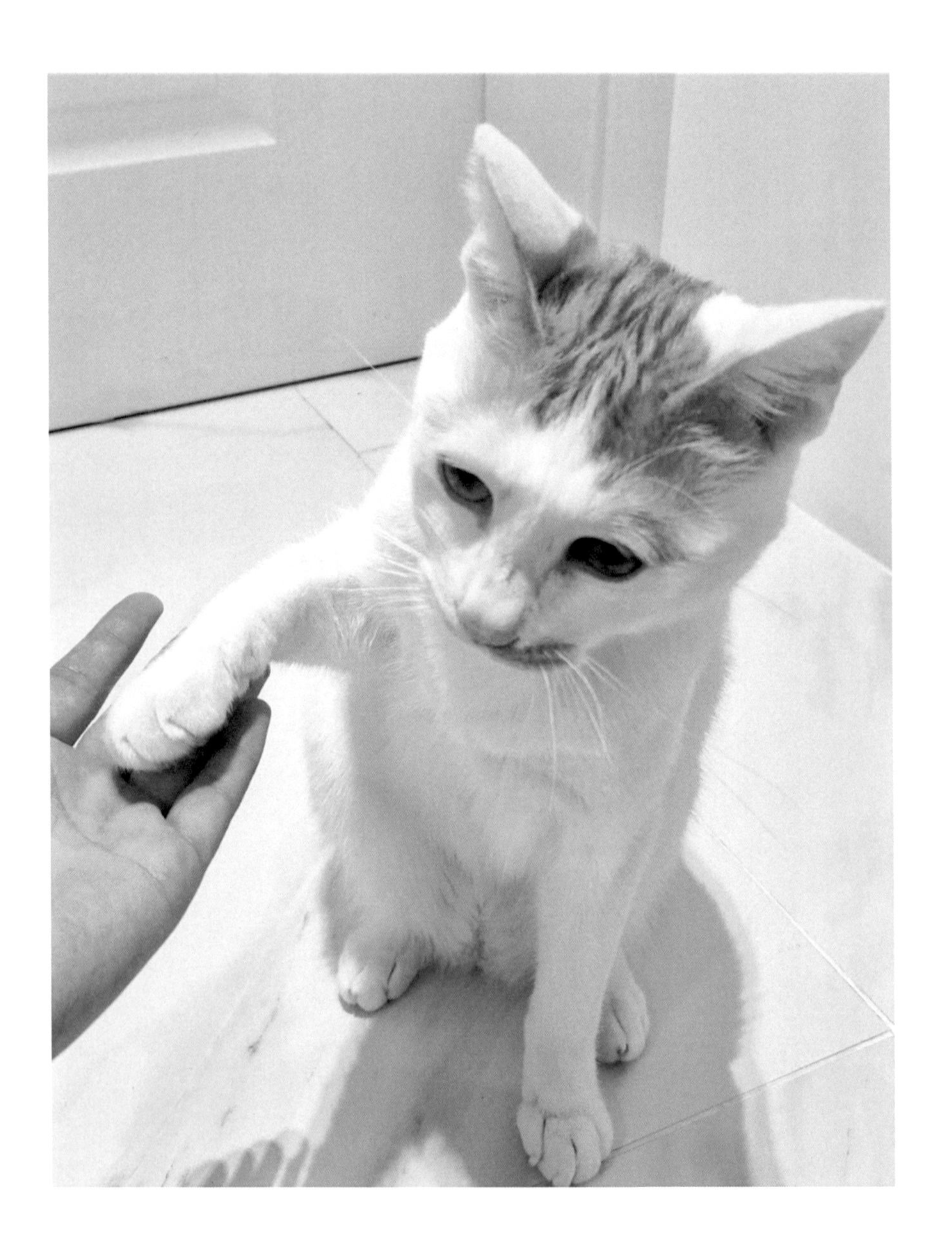

워킹맘의 부모 참여 수업

늘 배려해 주는 가게 식구들 덕분에 참여 못 할 번했던 첫째의 부모 참여 수업에 다녀왔다. 남편이 없어서 토요일 출근에 동행하고, 아파서 등원 못 하면 데리고 출근하고, 병원 진료 보느라 출근이 늦어질 때도 있고, 어린이집 행사가 있는 날에도 늦게 출근하고 있다. 항상 미안하고 고맙기만 하다. 내가 미안한 마음에 불편하게 있을까 봐 복지라 생각하라는 동생들과 가게 생각을 많이 해주고 많이 챙겨주는 거 알고 있으니 굳이 미안한 표현하지 말라는 사장님. 모두의 덕분에 첫째도 속상하지 않았고 엄마도 첫째의 모습을 담을 수 있어 다행인 날이었다. 오늘도 감사하고 든든한 나의 동료다.

일하는 곳에서 유일하게 결혼하고 육아하는 워킹맘이라 부탁드려야 할 일이 생길 것이라는 예상을 처음부터 했었다. 그래서 맡은 일이 아니어도 도움이 될 만한 일이 뭐가 있을지 늘 고민했다. 휴무 전날에는 매주 앞치마를 챙겨가서 세탁해 오고, 식재료 준비가 부족한 날에는 출퇴근 길에 들러 재료 사입하는 일을 자진했다. 그리고 틈틈이 동생들과 나눠 먹을 음식을 해가기도 한다. 우리는 서로의 배려와 마음 주고받음이 있어서 사이가 더욱 끈끈해졌다.

'누군가의 배려가 당연해선 안 된다.'

'관계에 있어서 일방적인 경우도 없다.'

내가 가진 마음가짐은 워킹맘으로 지내는 동안 한 결같이 지켜나갈 것이다.

진해에서 온 둘째의 친구 가족

진해에서 같은 해군아파트에 살면서 같은 해군어린이집을 다녔던 둘째의 친구 가족이 제주 여행을 왔다. 하원하고 자주 어울려 놀았던 우리는 엄마들끼리도 친분이 두터운 사이다. 헤어질 때는 선물도 주고 배웅도 해주고, 육지 간 김에 진해에 들렀던 9월에도 만나서 반가워했던 사이다. 부모님을 모시고 다섯 식구가 여행을 온다기에 가게에 꼭 들러서 점심 먹고 가라고 했다. 시간 내어 와준 친구네 가족에게 직접 만든 음식들을 대접할 수 있어서 기뻤다. 어르신 입맛에 이국적인 음식이 어떨지 약간의 걱정이 있었는데 어른들께서 정말 맛있게 잘 먹었다고 인사해 주셨다.

같은 반이었던 엄마들 몇몇이 소통하는 대화방에서 서로의 소식을 전하다가 제주도에는 군 마트가 없다고 속상해했던 날 위해 군 마트에서 판매하는 신상 쿠션팩트를 선물해 주고, 오픈런 해야만 종류별로 살 수 있고 매진되면 일찍 문 닫는다던 제주의 유명한 수제 캔디도 자매들 주라며 한가득 포장해 왔다.

아이들도 항상 보고 싶어 하는 마음을 알기에 퇴근하고 하원 한 아이들과 친구가 머무는 호텔에 찾아갔다. 꼬마들은 9월에 본 이후로 다시 만난 기쁨에 흥을 주체하지 못하고 난리였다. 아이들도, 어른들도 헤어지기 아쉬워 놀다 보니 늦은 시간이 되어서 집에 왔다. 제주에 있으면 지인들이 여행 왔다가 한 번씩 만나게 되니까 만나는 재미도 쏠쏠하다. 어떤 이는 내가 제주에 있는 핑계로 겸사겸사 제주 여행을 오기도 했다. 각 지역에서 만나러 와주는 지인들이 있어서 떨어져 지내도 덜 외로울 수 있었다. 다들 고마운 인연이다.

중문의 날 무료입장한 박물관은 살아있다.

서귀포 중문 여러 곳에서 제주도민의 날 행사로 이벤트가 열렸다. 전시관, 박물관, 호텔 등이 참여하여 할인가 이벤트나 무료입장 이벤트로 중문 데이(중문의 날)가 진행됐다. 토요일만 하는 행사여서 아이들과 퇴근하고 갔더니 대부분 끝나는 시간이라 한 군데만 가볼 수 있는 상황이었다. 첫째가 어린이집 졸업여행으로 다녀왔던 '박물관은 살아있다'에 둘째도 가보고 싶어 했고, 재밌어서 또 가보고 싶다는 첫째와 무료입장으로 들어갔다. 트릭아트 앞에서 아이들이 제법 재밌는 사진을 만들어 냈다. 착시효과로 찍힌 사진을 보며 아이들은 재밌다고 깔깔댔다. 즐거워하는 아이들에게 나도 다양한 포즈를 제안하며 추억 담기에 열심이었다.

한 달 만에 만난 남편

육지로 간 지 한 달 만에 남편이 왔다. 남편에게 미리 말하지 않고 아이들을 데리고 공항으로 가서 기다렸다. 아빠가 오면 깜짝 놀라게 해주자 했다. 비행기가 연착되어 늦어진 아빠를 얼른 만나고 싶은 마음에 아이들은 애가 타는 모양이다. 도착장 앞에서 기다리는 내내 아빠는 언제 오느냐고 연신 물어보는 바람에 대답해주기도 지쳐가고 있을 때쯤 남편의 모습이 보였다. 키가 큰 아빠를 아이들도 금방 알아보고는 "아빠~!" 하고 달려가 안긴다. 흥분한 아이들이 아빠를 자꾸 불러대며 서로 안아달라 야단법석이다. 아이들 모습을 지켜보며 서 있는 내게 남편이 다가와 머릴 쓰다듬어 주었다.

"마눌~나왔어."

애들 데리고 한 시간을 운전해야 하는 게 쉬운 일이 아니니 마중 나올지 몰랐다는 남편도 우리가 와줘서 기쁜 눈치다.

아빠와 잠시도 떨어지기 싫어하는 자매들은 엄마가 운전하고 아빠는 자기들 사이에 앉아서 집에 가잖다. 남편은 엄마가 그동안 혼자 많이 힘들었으니 아빠가 운전해야 한다고 했지만, 그냥 내가 운전하겠다며 운전석에 앉았다. 나는 아이들보다 더 잘 참을 수 있는 어른이고 엄마다.

에코랜드의 동백꽃

단풍 명소 대신 억새 명소가 많은 제주의 가을 끝자락은 가을꽃과 핑크뮬리 시즌이 끝났고 크리스마스 시즌 준비를 하고 있다. 언제 와도

좋을 제주지만 지금은 애매한 시기일지 모르겠다. 11월 중순~말 보다는 12월의 겨울 제주를 기다려야겠다. 겨울꽃이 만개하길 기다려야겠다. 설경을 기다려 봐야겠다. 예전에 라벤더가 핀 에코랜드와 메밀꽃 가득한 에코랜드를 여행했는데 제주에 사는 동안 봄에는 적응하느라, 여름에는 더위 피하느라, 가을에도 기성인 모기를 피하고 외국 갈대들을 보러 다니느라 겨울이 다가와서야 왔다. 남편과 함께 나오니 아이들을 신경 쓰는 게 확실히 수월했다.

여기저기에서 먼저 핀 동백꽃 소식들이 들려오고 있어 에코랜드의 동백꽃을 보러 왔다. 올 때마다 조금씩 바뀌는 에코랜드의 모습, 시기별로 피워내는 꽃이 많은 에코랜드다. 꽃이 많은 계절이 지나니 잠깐 쉬어가는 시기인지 휑해진 꽃밭은 아쉬웠지만, 동백꽃 주변을 예쁘게 꾸며놓은 에코랜드도 예뻤다.

서프라이즈 테마파크의 정크아트

에코랜드까지 조금 멀리 나선 김에 근처 서프라이즈 테마파크에도 다녀왔다. 아이들에게 폐자원으로도 멋진 예술작품이 탄생할 수 있음을 알려줄 수 있는 정크아트 테마파크였다. 주간부터 야간까지 긴 시간 운영하는 곳이라 제주에서 늦은 시간까지 관람할 수 있는 몇 안 되는 곳이다. 해지기 시작할 때 입장했다가 어두워지고 나왔는데 색색의 조명이 켜지는 밤에 관람하는 것도 괜찮은 것 같다.

알 수 없는 인생, 어떤 인생이라도 응원해

패션 일러스트를 본 적이 없는 것 같은 첫째가 패션 도식화처럼 그림을 그리며 놀고 있었다. 문득 생각나 서랍장에서 꺼내 온 몇 개 안 되는 일러스트 그림을 보여줬다. 엄마가 어른이 된 지 얼마 안 됐을 때, 아주아주 예전에 옷 소재를 그렸던 것이라고 말했다. 그림은 어떤 옷을 그린 것 같은지 물어보니 가죽 같고, 청바지 같고, 뜨개질 옷(니트) 같고, 비단옷 같고, 패딩 같다며 제법 맞추어 냈다. 옷장의 옷들과도 비교해 보면서 맞춰보기 놀이가 재밌단다.미술 학원에 다닌 적 없던 내가 유일하게 미술 관련 학원에서 3개월간 배웠던 패션 일러스트였다. 15년쯤 묵혀둔 버리기 아까운 나의 쓰레기랄까? 추억이랄까?성인이 되어 애견 공부를 하다가 애견의류 디자인을 7년간 했고, 유아동 악세서리를 제작하여 소셜 커머스에서 판매하는 사업을 3년간 했었다. 일과 학업을 병행하다가 한국방송통신대학교에서 튜터로 두 학기 동안 온라인 지도를 했었다. 그리고 지금은 이탈리아 로마식 피자 만드는 중이다. 상황과 의지에 따라 N잡러가 되어버린 나의 직업을 돌아보면 어른들 말씀처럼 인생은 알 수 없는 것이었다. 세상의 흐름이 점점 빨라지고 있음을 느낀다. 과거에 있었던 직업이 사라지고 새로운 직업이 등장하고 있다. 아이들이 성인이 되었을 때는 지금과 또 다른 세상이 되어있을 것이다. 하고 싶은 직업이 자꾸 바뀐다는 첫째가 커서 무엇을 하게 될지 모르겠지만 항상 응원해 줘야겠다고 다짐해 본다.

크리스마스 박물관의 시즌 마켓

아이들이 캐럴을 부르고 산타의 선물을 기다리는 12월이다. 토요일 퇴근길에 출근을 함께했던 아이들과 한 달간 크리스마스 마켓이 열리는 크리스마스 박물관으로 갔다. 야외에는 반짝이는 트리와 조명으로 크리스마스 분위기가 많이 나고 마켓 부스마다 다양한 크리스마스 상품들이 진열되어 구경하는 재미도 있었다. 크리스마스 박물관에는 관련 상품과 빈티지 소품들이 많았다. 지금 시기에 제주의 가볼 만한 곳으로 많이 추천하는 곳이라 사람들로 북적였고 아이들보다는 어른들이 더 많았던 곳이다.

Merry Christmas
Merry Christmas

야외 놀이터가 있는 제주해양동물박물관

엄마의 휴일은 자연스럽게 아이들이 놀러 가는 날이 되었다. 겨울이 되니 아이들과 실내 위주의 가볼 곳을 찾아보게 된다. 이번 휴일은 제주해양동물박물관에 다녀왔다. 입상하니 나이에 맞는 체험학습지와 불빛이 나오는 돋보기를 주고 입구에 있는 개복치에 관한 설명을 해주시면서 흥미를 유발해 주셨다. 아이들이 박물관을 살펴보면서 관심을 더 많이 가질 수 있도록 해주는 곳이었다.체험학습지의 문제 난이도가 나이에 따라 달랐는데, 그 체험지 덕분에 그냥 지나칠 뻔한 부분들도 재미있게 학습할 수 있다. 퇴장하면 체험지를 채점해 주시면서 칭찬도 해주고 소소한 선물(컬러링북 등)을 나눠 주셨다. 비용을 추가로 내면 물고기 만들기를 할 수도 있지만, 체험비 없이 모든 아이에게 은박지와 매직을 제공해 준다. 자유롭게 해양 동물 그림을 그리고 다녀간 날짜를 메모하면 코팅해서 포토존에서 그림을 들고 가족사진을 찍어 주시기도 했다. 다른 지역의 해양 동물 박물관을 가본 적은 없지만 이곳은 운영하시는 분들이 매우 친절하시고 아이들의 눈높이에 맞게 설명도 잘해주셨다. 규모가 크다는 생각은 안 들지만, 잘 짜인 프로그램과 방문한 아이들에게 추억을 남겨주시려는 모습이 인상적이었다. 박물관 뒷마당에는 동백꽃이 피기 시작했었고 박물관 앞 놀이터에는 알록달록 나무로 만들어진 놀이기구가 있어 아이들은 추위를 이겨가며 즐겁게 놀았다. 주변은 야자수 나무와 꽃들이 어우러진 산책길이 있었다. 둘째는 해양 동물 박물관을 이해하기에 이른 감이 있었지만, 영상에서 보던 바다 친구들을 관찰하면서 나름대로 재미를 찾았다. 첫째는 예전에 곶자왈에서 엄마표 생태학습을 했던 것처럼, 엄마표 해양 동물 학습 놀이를 한 게 좋았나 보다. 나도 아이들 따라다니면서 지식이 확장된 느낌이다.

낙타 트래킹 체험

제주에 낙타 트래킹을 할 수 있는 이색적인 곳이 있다.

"우리나라에 낙타 타는 곳이 있대~ 얘들아, 가보자"

낙타 트래킹 하기 전 먹이 주기 체험을 할 수 있는 곳이 있어, 낯선 낙타와 익숙해질 시간을 가졌다. 동물을 좋아하는 아이들이라 먹이 주기 체험이 있는 곳은 다 좋아하는 것 같다.

히잡처럼 천을 두르고 낙타에 올랐는데 낙타의 온기가 느껴져 따뜻했다. 출발하자마자 꿀렁거리고 출렁거리고, 등 위에서 우리는 덜거덕거렸다. 트래킹 하는 동안 낙타를 이끌어 주는 아저씨들이 친절하셨다. 이곳에서 쓰는 카메라로 사진을 찍어주시는데 손 씻고 나가는 길에 액자에 사진을 넣어 판매하셨다. 필요 없으면 편히 거절하면 되지만 휴대전화로 낙타 트래킹 하는 모습을 담기가 힘들다 보니 기념으로 구매하는 분들도 꽤 있는 것 같다.

크리스마스 스페셜 메뉴

일하다가 크리스마스에 오시는 손님들께 평소보다 선물 같은 메뉴가 나가면 좋겠다는 의견이 나왔다. 사수가 맡은 메뉴 중 햄과 치즈를 곁들여 내는 음식에 크리스마스 느낌을 낼 만한 과일을 올려보기로 했다. 나는 핀사 메뉴를 만들고 있지만, 사수가 고심하고 있는 플레이팅이 재밌어 보여 아이디어 스케치를 해봤다. 그리고 사수의 도움으로 나만의 크리스마스 메뉴 플레이팅을 직접 해 봤다. 손이 제법 가는 플레이팅이었지만 혼자 상상해 본 것과 비슷하게 나온 결과물에 흡족했다. 내가 일하는 곳은 개인이 도전해 보는 것을 지지해 주고 수직이 아닌 수평적 관계로 서로 존중해 주는 곳이다. 나이가 많고 적음이 문제되지 않고, 경력이 많고 적음이 문제 되지 않는 곳이다. 이런 곳에서 경험하고 일할 수 있다는 것도 나에게 행운이고 행복이다.

크리스마스 간식

크리스마스에는 남편이 오지 못한다며 헤어진 지 한 달 반 만에 집에 왔다. 육지에 가고 두 번째다. 남편이 왔을 때 아이들과 크리스마스 과일 트리 만들기 하면서 휴일을 보냈다. 딸기와 샤인머스캣에 이쑤시개를 꽂고 트리 형태를 잡아줄 당근과 사과에 꽂아서 완성했다. 넷이 모여 함께 만든 트리는 곧장 우리 입으로 사라졌다.하루는 저녁을 일찍 먹고 간식을 찾는 아이들에게 크리스마스 느낌이 나게 간식을 꾸며줬다. 후다닥 차려주니 엄마 최고라며 엄지척을 해준다. 이 맛에 한 번씩 해주게 된다. 사실 마트에서 사 온 긴 네모 초코빵에 딸기 얹고 마시멜로 플레이팅한 게 전부다. 대기업이 차려준 밥상에 엄마의 손가락은 거들기만 했을 뿐.

엄마와 출근한 날에는 이모와 함께 초코빵과 프레즐 과자 등으로 루돌프 얼굴 만들기를 했다. 둘째도 야무지게 잘 만들었다.

온라인에는 아이디어쟁이들이 많다. 아이들과 할 수 있는 크리스마스 놀이 덕분에 12월이 즐겁다.

폭설이 만들어 준 설경

크리스마스를 며칠 앞두고 폭설이 내렸다. 밤새 제주도는 대설 경보, 강풍, 풍랑, 도로 통제, 결항 소식 등 안내 문자가 연신 울렸다. 서귀포의 해안가 지역은 따뜻한 온도와 물 빠짐이 빠른 땅의 특성으로 폭설이 내려도 해가 뜨면 바로 녹는다는 가게 동생들 말을 듣고 차에 체인을 감아두지 않았었다. 그런데 밤새 내린 폭설과 오전까지 풀리지 않은 날씨 탓에 어린이집 차량도 운행하지 않는다고 연락이 왔다. 평소 출근 시간보다 한 시간은 일찍 나섰다. 아이들을 어린이집에 보내고 느림보 운전 중인데도 길이 미끄럽다고 주의 경보등이 자꾸 떴다. 내리막길에 브레이크도 안 먹힐 만큼 험난한 출근이었다. 차가 자꾸 미끄러지면서 다른 차와 부딪힐까 조마조마했던 내 마음은 도착하고 만난 이쁜 설경 앞에 완전히 사라졌다. 와! 출근 맛나게 진짜 이쁘다. 눈

오면 애들 태우려고 사뒀던 휴대용 썰매를 꺼내 내가 먼저 타고 놀았다. 제주의 설경은 나도 아이처럼 신나게 해줬다.

폭설에 발이 묶여 손님도 많지 않은 날이다. 퇴근길을 걱정해 주는 사장님은 평소보다 일찍 퇴근하라고 했다. 다행히 집에 가는 길은 눈이 많이 녹아 덜 위험했다. 일찍 마친 김에 아이들을 데리고 돈내코 유원지에 데려가서 아무도 밟지 않은 눈밭에 누워보고 내리막길에서 눈썰매를 탔다. 엄마가 신났던 것보다 더 신이 난 아이들과 즐거운 시간이었다.

멍트리와 루돌프냥

어린이집 행사를 하는 어린이집에 첫째는 산타로, 둘째는 3년째 입히고 있는 크리스마스트리 옷을 입고 등원했다.

선생님께서 보내주신 사진에는 강당에 모인 원생 모두 산타 모자를 쓰고 있었고, 눈에 유난히 띄는 둘째만 초록색 트리 복장이었다. 어린이집에 찾아온 산타 할아버지께 선물도 받고 즐거운 크리스마스 행사를 마치고 온 아이들이었다.

앙꼬와 모찌도 크리스마스에 빠질 수 없다. 미리 사둔 아이템을 씌워 멍트리와 루돌프냥이로 변신시켰다. 앙꼬와 모찌의 크리스마스 선물은 둘 다 좋아하는 공으로 한가득 준비했다.

다들 메리 크리스마스

가게 동생들이 매주 만나는 첫째와 둘째에게 크리스마스 선물로 목도리와 케이크를 선물해줬다. 선물을 받고 기뻐하는 아이들의 모습을

보더니 자기도 행복하다면서 "역시, 아이들 행복한 얼굴을 보니 저 얼굴을 본 내가 선물 받는 거였어~!" 라고 예쁜 말을 남겨준 동생이다. 덕분에 더 풍성한 크리스마스가 되었고 나와 아이들이 너무 행복한 크리스마스다. 아이들이 잠든 밤, 몰래 포장한 선물을 작은 벽 트리 아래 놓아두었다. 아침에 일어나면 꼬꼬마들이 또 행복한 표정을 하겠지?

나를 성장시킨 2023년의 마지막

나에게 큰 변화가 있었던 23년의 마지막 날이다. 낮에 아이들을 데리고 키즈카페 다녀왔고 법환포구에 드라이브를 다녀왔다. 함께 일하는 동생들은 제주시에 넘어가 유명한 간식을 사려고 줄 선 김에 나와 아이들 생각이 나서 더 사 왔다며 집까지 선물을 주러 왔다. 아이들은 이모와 삼촌이 찾아왔다며 신나서 방방 뛰고 매달리고 안기며 좋음을 온몸으로 표현했다.

올해는 진해에서 제주로 이사를 했고, 전업주부에서 워킹맘이 되었다.

많은 변화에 또 적응해 가며 힘든 순간들도 있었지만, 기회를 만들고 스스로 많이 성장한 해가 저물었다.

새해의 첫 일정, 예비 소집

첫째의 초등학교 예비 소집에 다녀왔다. 입학 전에 서울로 이사 갈 수 있을지 기대를 해보기도 했지만 결국, 제주에서 입학하고 학기 중간 전학을 하게 됨이 확정이다.요즘 자매는 차를 타서도 한 명은 노래를 꺼라, 한 명은 노래를 틀어라.

아침으로 사과를 달라, 시리얼을 달라.

점심 메뉴로 김밥을 사달라, 돈가스를 사달라. 놀러 나가자, 집에 있자.

불일치의 연속이다. 그러다 보면 아이들은 다투게 되고, 나는 참다가 화를 내게 된다. 누구의 의견을 들어줘야 할지, 어떻게 해야 서로 감정이 상하지 않을지 고민이 많아졌다. 혼자 들들 볶이는 기분이다. 남편과 떨어져 지내는 우리의 제주살이는 언제까지일까?

신화월드 서머셋의 원더아일랜드

제주도에 미디어아트를 관람할 수 있는 곳이 몇 군데 있다. 예전보다 미디어아트를 전시하는 공간들이 많이 생긴 것 같다. 이번에 다녀온 신화월드의 원더아일랜드는 아이들과 미디어아트를 즐기기 좋은 곳이었다. 미디어 전시의 마지막은 키즈카페 온 듯 체험하고 몸으로 신나게 놀 수 있는 곳이었다. 겨울이지만 땀 흘리며 나온 아이들이다. 날씨 변화가 심한 제주에서 비, 더위, 추위, 바람에 방해받지 않는 실내 공간이었다.

신화월드에 올 때마다 즐길 거리가 너무나 많은 곳이라는 걸 느낀다. 여러 번 방문했음에도 아직도 못 가본 곳들이 있다. 의도하고 도장 깨기를 하지 않는다면 제주에 있는 동안에 신화월드의 즐길 거리를 아마 다 경험해 보지 못하고 갈 것이다.

함께 하기로 한 생일, 가버린 남편

내 생일이 다가오고 있어 남편이 휴가를 쓰고 제주에 내려왔다. 한 달에 한 번 정도는 내려와 주고 있는 남편이다. 나의 생일이지만 아이들이 좋아하는 물놀이를 해주려 호텔 예약했는데 갑자기 일이 생겼다며 전날 새벽에 급히 서울로 가버렸다. 기껏 파티 준비해 놓고 휴가 접고 가버리신 그 양반도 속상하겠지. 남편이 이벤트 해주려고 주문한 택배만 와있다.

다른 군인들도 마찬가지겠지만 휴가를 나와도 부대에서 종일 연락이 올 때도 있고, 휴가여도 일이 생기면 복귀해야 할 때도 있다. 휴가를 앞두고 일이 생기면 휴가를 접거나 미루는 일도 태반이다. 가족 입장으로는 진정한 휴가가 아니다. 군인 남편을 밤낮, 주말, 명절, 휴가 언제든 보낼 마음을 가지고 살아야 한다. 한두 번이 아니어서 그럴 때마다 그러려니 보내주지만, 마음 한편에 쌓여가는 속상함은 어쩔 수 없다. 남편은 늘 미안해하며 아이들과 나에게 죄인이 된다. 혼자서 아이 둘과 수영장에서 잘 놀 수 있을지 걱정이었지만 미안해하는 신랑을 대신해 아이들과 즐겁게 보내기로 했다.

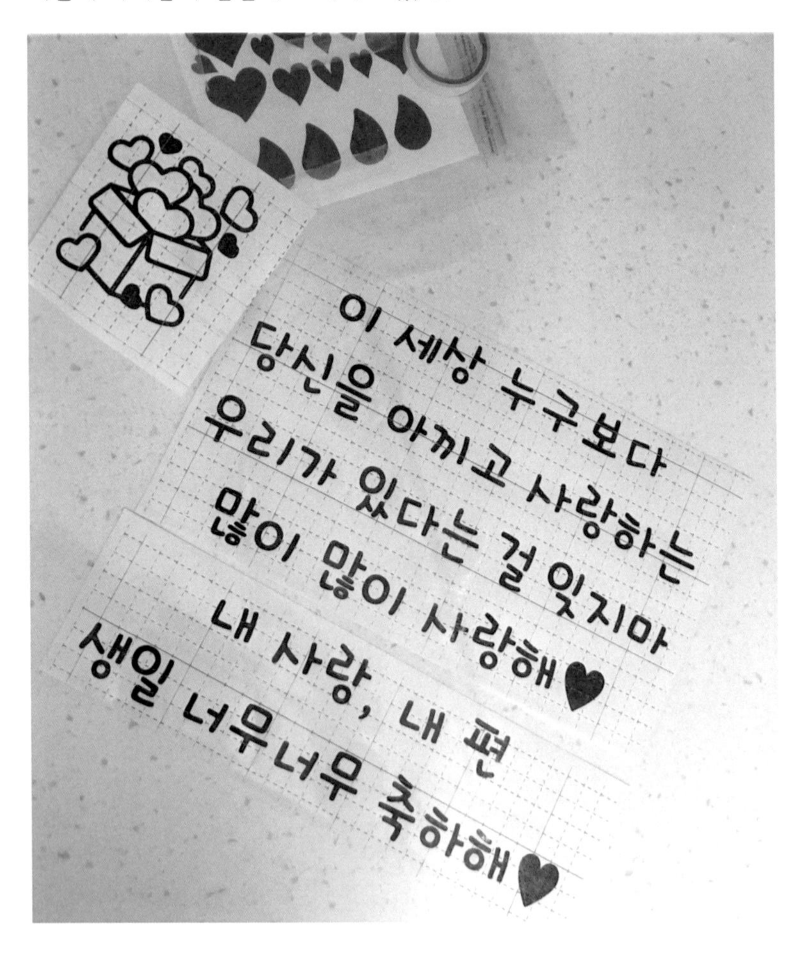

해피벌스데이~내 생일이야

집 비우기 전에 집안일 해두고 앙꼬 산책시켜 놓고 미리 사료도 챙겨줬다. 둘째가 낮잠 잘 동안 짐을 챙겼다. 집에서 고작 20분 거리인데 챙길 짐은 왜 그리 많은지. 남편과 함께라면 일요일에 숙박하고 월요일에는 애들 등원시키지 말고 맛있는 거 먹고 공항에 배웅해 주러 가기로 했었는데 남편이 가버려서 나도 계획을 바꿨다. 어린이집 가방과 낮잠 이불까지 차에 싣고가서 월요일에 등원 보내기로.

혼자 둘 데리고 험난한 생일이 되지 말아야지 하면서 택배 온 이벤트 레터링과 남편이 주문해 뒀다는 케이크를 찾아서 호텔에 갔다. 풍선은 두 개만 불고, 레터링은 붙였다 떼기 번거로우니까 필름 통째로 갖다 붙였다. 신난 아이들과 타이머 맞춰놓고 셋이 사진 찍어 남편에게 잘 왔다고 고맙다고 인사를 전했다. 투덜거렸지만 사실 내 입꼬리는 올라가 있었다.

아이들이 더 신난 엄마의 생일

아이들은 가든 풀에서 오후부터 밤까지 수영했다. 엄마 뒤에서 수영복 끈을 풀어버리는 둘째와 끈 묶어주는 첫째다. 동생에게 배영 하는 법을 알려주는 언니였고, 튜브 내팽개치고 언니 따라 수영해 보는 둘째였다. 나는 겨울바람이 애들 비치볼을 자꾸 날려버려 오들오들 떨면서 멀리까지 가서 주워 오느라 바빴다. 신나게 노는 모습을 보니 아무래도 애들이 생일인 것 같다. 저녁 먹고 키즈클럽에서 10시까지 꽉 채워 놀고 야간산책도 하고 나서야 잠자리에 든 자매들이 즐겁고 재밌었다고 한다. 우리끼리라도 오길 잘했구나 싶다.

신랑 가버리고 없다고 징징거리고 하소연했더니 다들 걱정과 축하를 해주는 지인들이다. 무슨 일이냐, 밥은 먹었냐, 미역국은 먹었냐, 맛있는 거라도 먹고 와라…. 애정 담긴 잔소리마저 행복한 하루다.

짹짹아, 잘 가!

호텔 와서 열심히 놀고 피곤해서 잘 일어나지 못하던 아이들을 챙겨서 어린이집에 보내고 왔다. 집 근처 간 김에 앙꼬랑 모찌가 잘 있는지 살피고 산책시키는데 단지 내 분리수거장 벽에 붙어서 못 나가고 있는 새를 발견했다. 가까이 가니 무서운지 날아가려고 더 발버둥 쳤지만 투명한 벽에 자꾸 부딪히기만 했다. 눈 치우는 삽으로 투명한 벽을 가려주고 수건으로 짹짹이 눈을 가려서 살포시 잡으니 얌전했다. 덕분에 무사히 보내 줬다.

'짹짹아, 잘가~'

애들 보내고 퇴실 시간까지 혼자 즐겨볼까 했던 호캉스는 이것저것 하다 보니 나와야 할 시간이 돼버렸다. 차에 짐을 갖다 놓고 루프 층에 가서 느긋하게 혼자 식사했다. 문어 다리 썰고 있는데 호텔 생일이라고 샴페인 한 잔을 주셨다. 그랜드조선 제주 호텔도 나와 생일이 똑같았다. 호텔은 세 번째 생일, 나는 서른여덟 번째 생일. 너도 생일 축하해~ 첫째의 편지 선물, 둘째의 알 수 없는 색칠 선물도 잘 받았고 이틀 전에는 같이 일하는 동생들이 미역국에 한우고기 굽고 케이크에 불붙여 줬다. 남편이 간 것 빼고 완벽한 해피벌스데이였다.

한라산 1100고지

아이들 등원시키고 갑자기 무슨 마음이 든 건지, 그길로 곧장 한라산 1100고지까지 올라왔다. 근래 따뜻했던 날씨로 유명한 1100고지 설경의 모습은 아니었다. 어차피 눈 많을 때는 통제되거나 체인 없이 오기 힘들 테니까 '그냥 한번 가보자.'였는데 기막힌 설경이 아닌 날에도 사람들이 많이 왔다. 1100고지의 상징 같은 백록 동상을 한번 돌아보고 건너편 습지 탐방로에 갔다. 녹지 않은 눈 사이로 물이 흐르는 고지의 땅이 멋있었다.

여행 오신 듯한 분께 부탁드려 나도 사진을 남겼다. 여기에 올 생각하지 않고 일어나서 애들 보내고 곧장 온 바람에 대자연 앞에서 나도 너무 꼬질꼬질한 것이 자연인 그 자체였다.집 근처는 요즘 영상 15도 전후, 겨울이 아닌 날씨였는데 1100고지에 올라오니 오랜만에 육지에서 때려 맞는 겨울 칼바람 같다. 1100고지는 오는 길마저 그림이었다. 사진에 담을 수 없을 정도로.

동백 포레스트에서 우.행.시

동백꽃 보러 몇 번을 가보자고 졸라도 안 가주던 아이들을 데리러 원에 가서 으름장을 놓았다. 꽃 보러 갈 거면 엄마 차에 타고 안 갈 거면 어린이집 차량 타고 오라고 했다. 자매들은 자기들이 가고 싶고 놀고 싶은 것은 엄마한테 해달라고 하면서, 엄마가 가자는 꽃구경은 같이 와주지 않는 치사 뿡이었다. 그래도 오늘은 나의 으름장이 효과를 봤다. 많은 동백 명소 중에 동백 포레스트로 갔다. 차에서 내린 아이들이 동백꽃이 가득한 풍경을 보더니 나보다 더 좋아했다. 동백 포레스트에는 바다도 보이고 한라산도 보였다. 아이들은 역시 엄마가 가자고 하는 곳은 가야 한다며, 다음엔 엄마가 가보자고 하면 군말 없이 따라오겠단다. 아이들 모습을 찍어주고 셋이 셀카도 찍었다. 아이들이 자라서 우리끼리 예쁜 포즈로 사진을 남길 수 있게 된 게 갑자기 너

무 뿌듯했다. 지나가던 커플이 아이들을 보고 귀엽다더니 우리 셋을 찍어주고 갔다. 얘들은 동백나무 사이를 미로처럼 뛰어다니며 놀았다. 별거 아닌 거에도 까르르 아주 신이 났다. 나도 덩달아 신났다. 우리들의 행복한 시간이다. 남은 제주도 생활 동안 함께 찍은 사진을 많이 남겨두자.

얘들아, 오늘도 사랑해. 오늘도 고마워.

재롱잔치는 처음입니다만?

어린이집 재롱잔치가 열리는 날이다. 남편도 전날 밤에 집에 왔다. 코로나19 시기를 몇 년간 보내면서 아이들 재롱잔치를 하는 원이 없었다. 첫째가 진해에서 다니던 유치원에서 재롱잔치와 비슷한 발표회를 한 적이 있지만, 나의 어린 시절에 경험했던 재롱잔치를 우리 아이들이 하게 될 줄이야.

그런데 재롱잔치가 뭐길래, 준비할 게 제법 많다. 아침부터 분주했다. 정해진 복장으로 입히고 아이들 얼굴에 연습도 안 해보고 다짜고짜 처음 해주는 화장이었다. 큐빅 스티커까지 붙여가며 화장하는 동안 자기 얼굴이 예뻐지는 모습에 엄마가 시키는 대로 얼굴을 대주는 모습이 귀엽다.

갈아입을 옷과 꽃다발, 응원 봉을 챙겨 행사장으로 갔다. 둘째 반

선생님께서 알림장에 재롱잔치 연습을 잘한나고 적어주셔도 그냥 잘 따라 하나보다 했는데 무대를 보니 진짜 잘하는 거였다. '나를 봐요' 무대를 준비하면서 만 2세 반 친구들이 개다리춤을 어려워해 동작을 바꿨다는데 둘째는 혼자서 개다리춤까지 척척 이었다.

떨지도 않고 웃는 표정마저 완벽했던 둘째야! 엄마여서가 아니라 진짜 너밖에 안 보일 정도로 너무 귀엽게 잘했어. 최고야!

첫째는 가장 형님 반답게 여러 무대를 준비했다. 의젓하고 차분한 첫째의 성격답게 진중한 모습으로 모든 무대에 임했다. 그중에 첫째가 선택했다는 부채춤 무대는 가장 돋보일 정도로 훌륭하고 예뻤다.

선생님과 아이들이 그동안 준비하느라 고생 많았겠구나…. 다들 열심히 노력해 준 덕분에 부모로서 내 아이의 소중한 모습을 간직할 수 있는 날이 되었다.

재롱잔치가 끝나자마자 남편에게 애들을 맡기고 나는 부랴부랴 늦은 출근을 했다. 남편이 재롱잔치 참석을 위해 휴가를 내고 함께해서 다행이었다. 내가 출근한 사이 첫째 반의 세 가정이 오랜만에 뭉쳤다고 했다. 나 없이도 식사하고 키즈카페에 다녀왔단다. 아빠들끼리 오랜만에 뭉쳐서 건하게 술을 마셨다고 하더니 퇴근하고 갈 때까지 모임이 끝나지 않았다. 외동을 키우는 두 엄마가 우리 집 자매 둘까지 봐주고 있었다. 오랜만에 제대로 술에 취한 남편은 며칠 동안 나와 아이들에게 잔소릴 들어야 했다.

공항 키즈존

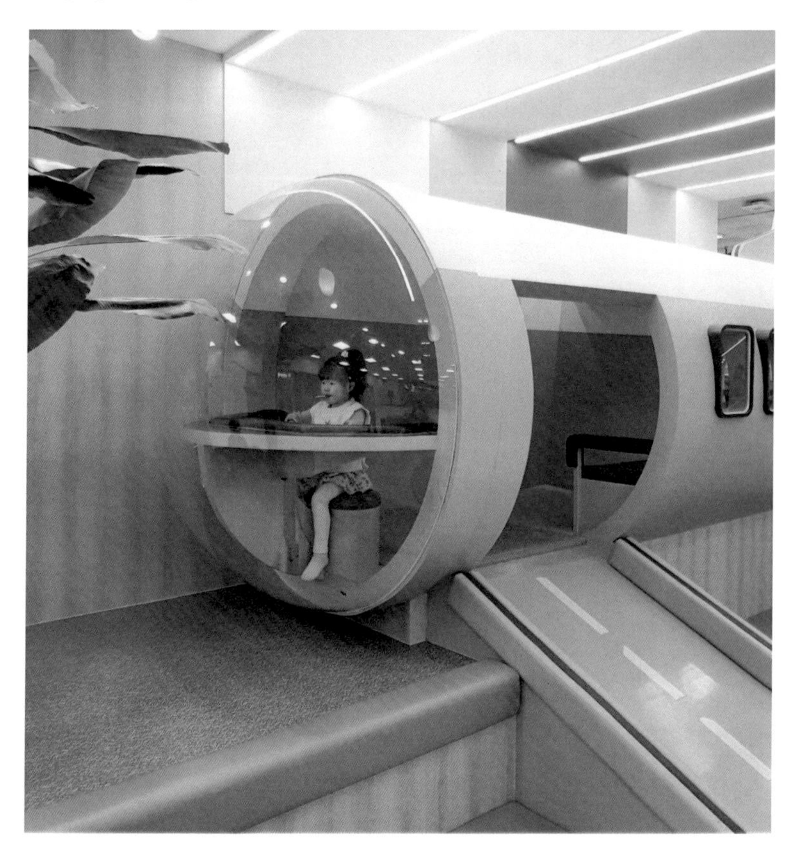

아빠를 배웅해 주러 제주공항에 갔다. 비행기 시간까지 조금 남아 있어서 국내선 탑승하는 3층에 돌아다니다가 칼라운지 앞에 있던 키즈존을 발견했다. 아빠와 헤어지고 아이들이 슬픈 줄 알았는데 안녕 하자마자 공항 키즈존에 신발 벗고 들어가서 신나게 노는 자매들이다.

땀까지 삘삘 흘려가면서 노느라 집에 가자는 엄마의 말은 들은 척도 안 했다. 비행기 모양의 미끄럼틀뿐인데 왜 이렇게 좋아하는지.

아빠랑 헤어져서 속상하다고 징징거리는 것보다는 훨씬 잘됐다. 그래~ 재밌게 놀다 가자!

눈 내리는 날은 우리들 세상

서귀포의 따뜻한 해안가 지대에 한 달 만에 폭설이 내렸다. 또 결항 소식과 도로폐쇄 소식으로 안전 문자가 울려댔다.

또 힘들게 출근했다. 가게 마당에 쌓은 눈으로 동생과 눈사람을 만들었다. 주변의 자연물로 장식했더니 사랑스러운 눈사람이 됐다.

지난번 눈 쌓인 돈내코에서 즐거웠던 자매들은 엄마가 또 일찍 퇴근하고 와서 눈놀이할 수 있는 곳에 데리고 가 주길 원하는 눈치였다. 울 집 귀염둥이들이 원하는데 엄마가 모른 척할 수가 있어야 말이지. 이번에는 눈이 더 많이 녹아서 돈내코보다 높은 지대까지 가서야 눈썰매를 탈 수 있었다. 돈내코까지만 해도 내리지 않던 눈이 한라산과 가까워질수록 내리고 있었다. 지나다니는 차도 없는 곳에 내렸다. 휴대용 썰매가 가벼워서 둘째도 스스로 들고 다니며 타고 내려왔다. 속도가 붙어 위험할까 봐 나는 밑에서 지켜보고 있다가 아이들이 순서대로 내려오면 잡아주었다. 재미가 붙었는데 눈이 점점 많이 내렸다. 집에 돌아가는 길이 위험할까 봐 아쉽지만 그만 놀자며 돌아왔다.

자연의 색과 놀이해 보자

제주에 와서 예쁜 자연의 색들을 많이 보고 느껴서일까? 엄마의 눈에 요즘 첫째의 그림에는 색이 다채롭다. 첫째가 스티커 북이라면서 만든 놀잇감에 그려진 여러 가지 하늘을 보면서 관찰과 표현을 잘했다 싶었다. 언니를 따라 자연물과 놀이하는 둘째도 스스로 재밌는 놀이를 만들고 이것저것을 시도해 보는 모습을 보게 된다.

우리가 만났던 무지개와 하늘과 구름과 그리고 함께 보고 싶은 오로라를 그려 놓은 첫째. 나는 오로라 보고 싶다는 막연한 생각을 종종 했었는데 첫째의 오로라 그림을 보고 언젠가 꼭 보러 가야겠다는 다짐이 섰다. 운이 따라야 볼 수 있다지만 실패해도 좋으니 기약할 수 없는 언젠가라도 우리 꼭 가보자, 얘들아.

당근 뽑기와 당근 맛보기

제주에 귤 따기 체험은 많지만, 상대적으로 한꺼번에 수확하는 당근은 체험이 드문 편이라 한다. 그리고 당근 체험비가 귤 체험비에 비하면 저렴한 편도 아니었고 예약도 미리 해야 한다. 제주 구좌는 우리나라 당근 수확의 절반을 차지할 정도로 많이 나는 곳이다.

당근을 수확하는 시기라 아이들과 체험할 수 있을지 찾아보다가 당근 마을 평대리의 '당근과 깻잎'이라는 카페를 알게 됐다. 1인 1 음료를 시키면 유기농 당근밭에서 하나씩 뽑을 수 있게 해주는 곳이었다. 당근 수프, 당근 빵, 당근 파운드, 당근 잼, 당근 주스, 당근 쫀드기 등 당근으로 만든 것들이 다양하게 있었다.

당근 체험하고 당근으로 만든 음식을 먹으러 가자고 했더니 토끼 애착 인형을 들고 나서는 아이들이다. 음료를 여러 개 시켜놓고 사장님

께 부탁드려서 엄마 대신 아이들이 당근 두 개씩 뽑기로 했다.

추운 계절에 야외에 오래 있기도 힘들고, 집중력이 길지 않는 아이들한테 당근체험장보다 오히려 이곳이 더 좋은 것 같다. 경험만 해보고 카페에 들어와 간식 먹으며 시간을 보낼 수 있으니 말이다. 카페 내부에 그림 그릴 재료들도 놓아두셔서 시간 보내기 괜찮은 곳이었다. 밭에서 체험한 당근을 세척 하는 야외세면장에도 타일이 당근 장식이다. 카페에 놓인 하얀 꽃은 당근꽃이라 하셨다. 태어나서 본적 없는 귤꽃, 녹차 꽃, 당근꽃을 제주에 와서 다 봤다. 지금이 한참 수확 시기인데 유난히 따뜻한 겨울이라 꽃이 일찍 피어 맛이 없어지기 전에 주변 밭은 다들 수확들 하신 모양이다. 카페의 체험 밭 당근도 뽑을 만한 게 얼마 남지 않았다.당근 착즙 주스가 맛있다고 잘 마시더니 당근 잼도 맛있다며 나보고 만들어달라는 첫째와 당근을 잘 먹지 않던 녀석이 세척한 당근을 와그작와그작 씹어먹는 둘째였다. 두 갈래로 자란 당근을 보고 둘째는 바지 당근이란다. 체험장이 아니라 카페여서 예약이 필요없다 보니 날씨나 여행 일정을 봐가면서 들리기 좋을 것 같다.

겨울, 유채꽃이 피기 시작했다

1월의 끝자락, 유난히 따뜻한 겨울을 보내고 있는 제주에서 성산 일출봉 근처 유채꽃이 폈다는 소식에 다녀왔다. 서귀포에서도 서홍동은 계속 따뜻해서 겨울을 건너뛴 거 같았는데, 바람이 많이 불어 늘 춥게 느껴진 성산 일출봉 앞에 유채꽃이 벌써 피다니. 만개하려면 시간이 더 필요했지만, 아이들과 기분 내기에는 충분했다. 조금 이른 감에 아직은 많은 사람이 찾아오지 않았다. 유채밭 돌담과 성산 일출봉을 함께 담을 수 있는 곳이라 만개하면 더 멋질 것 같다. 첫째가 찍어준 나의 모습은 초점이 다 흐트러졌지만, 엄마의 모습을 열심히 담아주려는 너의 마음이 고마울 뿐이다. 유채꽃도 아이들도 곱디곱다.

아시아 최대규모 제주 항공우주 박물관

따뜻한 겨울의 2월이 시작되었지만, 아직은 실내의 가볼 곳을 찾는 중이다. 마침 오락가락하는 비에 우중충한 날씨라 항공우주 박물관으로 갔다.한 바퀴 돌아보기 좋으려나, 가벼운 마음으로 갔는데 들어가니 규모가 엄청나다. 관리가 잘 되어있어서 생긴 지 몇 년 안 되었나 싶었는데 개관 한지도 올해 10년, 아시아에서 가장 큰 규모라고 한다. 얼마 전 다녀왔던 해양 박물관도 만족이었는데 여긴 끝판왕이다. 규모, 시설, 전시, 재미, 구성 빠질 것 없이 너무 좋은 곳이라 놀다가 보니 5시간이나 있게 됐다. 비행기로 시작해서 우주로 끝을 본, 상영관도 여러 개, 체험관도 여러 개다. 시간별로 계속 운영되고 있어서 어느 시간에 가도 시간대에 맞게 쏙쏙 골라 다닐 수 있다. 50분짜리 해설투어를 신청하면서 아이들이 집중을 잘 할 수 있을까 싶었는데 우리 셋

말고는 아무도 신청자가 없었다. 해설 선생님께서 아이들이 어려 아직 이해하기가 힘드니 직접 만져보고 재밌을 것 같은 것만 해보자며 다정하게 이끌어주셨다. 아이들에게 아직은 어려운 우주지만 눈으로 그냥 스쳐본 것이라 해도 너무 유익한 것이 많았다. 사실 나에게도 어려운 우주였는데 나도 재밌었다. 항공기 조종하는 방식도 체험하고 조종 시뮬레이션 체험도 했다. 중력가속도 체험은 7세 이상부터라 둘째는 탈 수 없어 첫째만 혼자 가서 타보고 오라고 했더니 둘째가 휴대전화 영상 보면서 혼자 기다릴 수 있다고 엄마도 타고 와도 된다고 말했다. 체험 대기 입구에 안내자분이 계속 자릴 지키고 계셔서 근처에 앉혀두고 나도 체험했다. 빙글빙글 놀이기구 타는 기분이었다. 몇 분이었지만 처음 와본 곳에서 자기도 타겠다고 떼쓰지 않은 것도 기특한데 엄마와 언니를 기다려 주는 쪼꼬미가 또 컸구나. 고맙다 아주! 미끄럼틀과 트램펄린이 있는 놀이시설도 잘 갖춰진 곳이라 아이들이 신발 벗고 들어가서 한참을 놀았다. 그사이 지친 엄마는 앉아서 휴식 시간을 가졌다. 폐장 시간이 되어서야 나온 아이들, 다음에 한 번 더 다녀와야겠다.

선흘리 화가 할머니들의 나 사는 집

그새 몇 주가 흘러버린 지난 1월에 다녀왔던 전시 이야기를 이제야 꺼내어 본다. 평균나이 87세. 선흘리 화가 할머니들의 '나 사는 집' 전시의 마지막 날이다. 내가 가보고 싶다고 남편을 공항으로 배웅하기 전 가족들과 함께 왔지만, 차에서 잠든 둘째와 화장실 가고 싶다는 첫째를 챙기는 남편이었다. 옅게 내리는 비가 종일인 날씨에 어쩌다 보니 혼자 내려 마을을 거닐면서 할머니들의 공간과 삶에 잠깐 스며들다 왔다 .간혹 미술전이나 유명한 미술품이 전시된 박물관에 가도 큰 감흥이 없었는데, 선흘리 전시는 가기 전부터 울렁거리고 막상 가보니 너무 많은 감정이 오고 가서 눈물이 툭 났다.그날의 내 감정을 어찌 정리해야 할지 어려워서 일기 쓰기를 여태 미뤘는데 이제 꺼내 봐도 되겠다 싶어 찍어둔 사진을 보니 다시 뭉클하다. 어쩌다 그림을 그리게 되신 마을 할머니들께서 삐뚤고 맞춤법도 서툰 글씨로 당신들의 삶을 담담하게 표현함이 묵직하게 다가왔다.

담담…. ? 아니다. 내가 감히 담담했을 거라 정의 내릴 수 없음이다. 그러나, 내가 그림을 통해 느낀 무게와 부피는 어마어마했다. '남편과 함께 쓰던 밥상이 지금은 그림 그리는 상'이 됐다던 할머니, '나 사는 집 이야기를 그리다가 울어분다. 다 죽어 불고 나 혼자 산다'고 하신 할머니, 분홍색을 너무 좋아하셔서 할머니의 많은 물건이 분홍색이고 그림 작품도 분홍 세상이던 할머니. 그림을 전시해 둔 집안 창고의 전등을 종일 켜두시고 잔잔한 음악까지 틀어 따뜻한 공간에 머물다 갈 수 있도록 그림 보러 온 이들을 배려해 둔 어느 할머니의 공간에 어머니의 삶과 활동을 응원하는 자식분들의 사랑까지 고스란히 느껴지는 곳도 있었다. 위로, 용기, 도전, 열정, 사랑, 감사, 인생, 한, 존경, 회고, 정, 안쓰러움, 부러움, 안타까움, 애달픔, 먹먹함, 속상함, 따뜻함…. 그 외에도 표현하기 힘든 무수한 감정과 단어들이 내 마음을 휘저었다. 어떤 대단한 유명작품을 마주했을 때도 '아, 이거구나', '우와! 대단하네', '어떻게 저렇게 했을까?', '뭘 표현한 거지?' '어떤 걸 느껴야 하는 거지?'라고 생각했던 게 고작이던 나에게 할머니의 그림들은 두꺼운 인생 책을 선물해 주신 것 같다.

선흘리 화가 할머니들, 건강하게 오래 작품활동 하시길 바랍니다.

허니문하우스, 소정방폭포 산책과 응급실

다른 이들은 설 명절이라 가족과 함께 모였을 오늘이 나에겐 참 속상한 하루가 됐다. 명절에도 근무하는 엄마를 따라 출근한 자매와 퇴근하고 잠깐이라도 즐겁게 보내려고 해안가 산책을 했다. 허니문하우스에서 소라의 성을 지나 소정방폭포까지 이어지는 길은 가까이 있어도 그동안 가보지 못했던 곳으로의 산책이었다. 올레길을 따라 예쁜 바다와 건물과 풍경들 덕분에 신나던 꼬맹이들이다. 호주머니에 손 넣고 가다가 넘어지면 크게 다치니까 엄마 손 잡고 가자고 해도 거절하고 쪼르르 잘 다녔던 둘째였다. 저녁 차릴 시간이 부족해 밖에서 해결하고 들어가기로 했다. 가다가 어디선가 담배 냄새가 났다. 아이들이 담배 연기를 덜 맡았으면 하는 마음에 서둘러 지나가자고 재촉했다. 그런데 아까부터 호주머니에 손 넣고 다니던 둘째가 뛰어오다가 넘어졌다. 평소 운동신경이 좋아서 넘어져도 크게 다친 적 없던 둘째의 입에서 피가 많이 났다. 옷과 바닥에 뚝뚝 떨어지고 아이는 아파했다. 동생 걱정에 첫째는 놀라서 울었다. 입과 턱이 피로 흥건해 지나던 사람들은 놀라서 바라봤다.

나의 놀란 마음을 숨기고 차분해지려 애썼다. 다행히 아이들도 엄마의 말을 잘 따라주고 진정하려고 노력해 줬다. 놀란 마음에 공황 증상이 왔지만, 눈물을 참고 떨림을 억누르면서 둘째를 안고 응급실로 향했다.가는 길에 눈물을 그친 둘째는 엄마 말을 안 듣고 손 넣고 가서 다쳤다며 미안하다고 했다. 그래도 엄마가 어린 너를 잘 돌봐주면서 가야 했는데, 빨리 가자고 재촉해서 넘어지게 만들어 나 역시 미안하다 했다. 그리고 우리 모두의 잘못이 아니니 병원 가서 치료하면 괜찮을 거라고 안심시켰다.둘째와 내 옷에 피 얼룩이 여기저기였지만 아이는 씩씩하게 치료받고 검사도 잘 받았다. 흘린 피에 비하면 생각보다 심하게 다치지 않아 다행이었다. 응급실을 나오며 우리 셋 모두 괜찮아졌다. 그제 서야 남편한테도 상황을 알렸다. 둘째가 생각보다 괜찮다고 해서인지 오히려 많이 놀랐을 나를 걱정해 주는 짝꿍이었다. 집으로 오는 길에 둘째가 아까와는 다르게 엄마가 빨리 가자고 해서 다친 거라며 탓을 했다. 나도 둘째에게 엄마 말을 안 들으니 다치게 된다며

티격태격했다. 지켜보던 첫째가 둘이 그만 싸우라며 나무랐다. 둘째는 "그래서 내가 더 미안하다 했잖아!"라며 큰소리다. 많이 걱정한 어미의 마음을 알고 있던 둘째는 자기가 괜찮음을 그렇게 표현하고 있었다. 무릎도 턱도 입술도 아픈 곳투성이지만, 그만하길 다행이다. 아주 늦은 저녁을 먹게 되었지만 잘 먹는 걸 보니 또 다행이다 싶다.

이제 손 넣고 다니지 않고 엄마 손 잘 잡고 다니겠다는 둘째야, 동생 챙기고 엄마 챙기느라 힘들었을 착한 첫째야, 고단한 하루였을 텐데 예쁜 꿈 꾸거라.오늘도 엄마의 하루는 참 길구나.

더마파크의 기마 공연

설 연휴에 낀 엄마의 휴일. 둘째의 입은 잘 아물고 있다. 이틀간 엄마를 따라 출근한 아이들이 답답했을까 봐 나가보기로 했다. 협재의 비양도가 보이는 카페에서 시간을 보내다가 더마파크에 가서 기마 공연을 보기로 했다. 야외 공연이지만 좌석 모두 온열 방석을 깔아줬고 담요도 나눠주셨다. 아이들은 50분간의 기마 공연이 꽤 볼만했나 보다. 나도 어디서 본 적 없던 공연이라 잘 보고 나왔다.

제주홀릭 뮤지엄

50년 넘은 요양원 건물을 업사이클링한 제주홀릭 뮤지엄에 다녀왔다. 사진 놀이터에서 제주홀릭 뮤지엄으로 바뀌었다고 해서 가봤는데 사진 찍으면서 놀기 좋고 아이들에게 흥미로운 방들이 여러 개 있었다. 꽃 피크닉 방, 과학실험실 방, 귤 세탁소 방, 마트 방에서는 공간 전시

품으로 놀이하느라 얼른 나오지 않던 자매다. 사진 찍으려고 온 다른 사람에게 방해가 되지 않도록 계속 주의하자고 했는데, 다른 가족의 아이들도 놀이하느라 방을 벗어나지 못하는 모습을 여러 번 목격했다.

이곳에 온 아이들은 다 한 마음이구나?

한라수목원의 수목원테마파크

한라수목원의 수목원 야시장이 워낙 유명해서 남편과 함께 지낼 때 야시장을 다녀온 이후로 오랜만에 한라수목원에 왔다. 야시장 바로 옆에는 수목원테마파크가 있다. 1층에 들어가면 사계절 내내 전시된 얼음조각과 얼음 썰매를 탈 수 있다. 얼음이 녹지 않을 정도의 온도가 유지되는 냉동 공간이라 들어가기 전에 패딩, 장갑, 모자로 무장해서 갔다. 2층 가면 5D 영상 보고 VR 플레이를 할 수 있고 3층에서 착시 아트도 볼 수 있다. 착시 아트는 '박물관이 살아있다'에서 잘 놀다 왔었던 기억에 둘러보고만 나왔다. 우리는 수목원 야시장과 수목원테마파크를 따로 왔지만, 지인이 여행 오면 오후에 수목원테마파크에서 놀다가 저녁엔 수목원 야시장에서 구경하고 저녁 해결하라고 추천해 주고 싶다.

성산포 유람선과 우도 8경

저번 가을에 남편의 친구들과 성산포 유람선을 예약했다가 기상악화로 출항하지 못했었는데 날씨 좋은 날 아이들과 유람선을 탔다. 서귀포 유람선을 타는 곳에 비해 우도 가는 배가 오가는 곳이라 그런지 서귀포 유람선을 타는 곳보다 더 큰 곳이었다. 성산포 유람선은 우도를 한 바퀴 돌며 우도 8경을 소개해 주고 바다 위에서 성산 일출봉의 모습을 볼 수 있게 했다. 워낙 재치 있는 입담으로 즐겁게 해주시던 서귀포 유람선만큼은 아니었지만, 성산포 유람선을 타야 볼 수 있는 경치를 더 잘 느낄 수 있게 설명해 주셨다.

무리한 엄마의 몸살감기

설 연휴 동안 아이들과 내내 붙어서 일하고 열심히 여행하다 보니 몸에 무리가 왔다. 연휴 마지막 날은 승마 체험, 유람선 타기, 아기 동물 만나기, 김녕 깡통 열차 타기까지 제주 동쪽을 부지런히 다녔다. 어딜 데리고 가도 모두 즐겁고 행복해하는 아이들과 놀다 보니 집에 돌아오는 길에 심한 두통과 함께 열이 났다. 내 몸이 아픈 줄도 모르고 몇 시간씩 운전해 가며 다닌 탓이다. 밤 10시가 되어서야 집으로 돌아왔다. 연휴 내내 일하랴 놀러 다니랴 더는 미룰 수 없는 집안일들을 대신해 줄 사람은 없고, 아이들을 챙겨줄 사람이 없다. 다음 날 몸살감기로 림프샘이 붓고 손가락 마디마디 통증이 심해서 병원에서 주사를 놔주셨다. 내 욕심이 과해 그냥 감기가 올 일도 몸살감기로 와버린 것 같다. 제주에 있는 동안 아이들과 여기저기 많이 다녀야겠다는 핑계지만 실은 아이들만 행복한 게 아니고 나도 즐겁고 행복한 시간이었다. 엄마 빨리 낫고 또 놀자, 얘들아.

혼자 즐기는 휴일

오랜만에 나 혼자 시간을 보내는 날이다. 반년 넘게 벼르다 갔던 공천포식당 창가 자리에서 물회 한술 뜨면서 바다 한번 바라보고 물질 마무리하는 해녀 구경을 했다. 밥 먹고 나와 차에 앉아서 남편과 통화하며 이런저런 얘기를 나눴다. 몸살감기에 걸린 지 열흘이나 됐는데도 제법 돌아온 줄 알았던 컨디션이 생각보다 괜찮지 않다. 목도 아직 아프고 머리도 아프고 띵하고 멍하다. 내일 반 친구들과 생일 파티하는 첫째를 위해 케이크 사러 가고 답례품 포장도 해야 한다. 약 먹고 잠시 쉬다 가려고 들린 카페가 너무 예뻐 혼자 사진을 찍었다. 혼자 식당에 가고, 혼자 카페 가고, 타이머 설정해서 혼자 사진을 남기고, 혼자서도 재밌게 휴일을 보내고 있다. 혼자 하는 외출은 누군가의 시간과 취향을 맞추지 않아도 되고, 내 이야길 쏟아내거나 상대방의 이야기를 듣지 않아도 된다. 내가 써야 할 시간과 동선이 정해져 있는 오늘처럼 이런 외출이 편하고 아늑할 때가 있다.

생일 축하해, 첫째야

남편이 첫째의 생일 때 못 오는 대신 곧 있을 졸업식에 오기로 했다. 아빠 오면 더 재밌게 졸업 겸 늦은 생일파티 하기로 약속하고 엄마랑은 안 가본 키즈카페에 데리고 왔다. 그런데 한 시간쯤 놀고 나더니 재미가 없단다. 중문의 롯데호텔 안에 있는 키즈카페는 정해진 시간에 간단한 놀이기구도 이용할 수 있는데 그것 말고는 재미가 없다며 기껏 데리고 온 엄마를 김빠지게 한다. 오히려 키즈카페를 이용하려고 오가면서 수영장을 내려다보며 물놀이 타령이다. 아휴~. 며칠 뒤 아빠 오면 물놀이 실컷 하자.

매년 풍선 장식하고 파티해 줬는데 올해 처음 집에서의 파티를 생략했다. 대신 어린이집에서 생일파티 잘하고 왔다니 다행이야.

첫째는 이제 키즈카페가 재미없어지는 나이가 된 걸까?

너의 앞날은 언제나 밝고 찬란하길

첫째의 졸업식에 남편과 함께했다.

아쉬움과 기대가 교차하는 오늘이었을 첫째야, 너를 사랑하는 가족이 항상 지켜봐 주고 있고 응원하고 있단다. 졸업을 축하해! 이제 언니와 함께 같은 원을 다니지 않고, 함께 어린이집 차량을 타지 않는다고 뾰로통한 둘째는 언닐 따라 학교에 다니고 싶어 했다. 학교생활이 처음일 첫째와 학부모가 된 나, 그리고 이제는 언니가 없는 어린이집에 만 3세 형님 반으로 올라갈 둘째까지 우리 셋 모두 새 학기 새 시작이 순조롭길 바라. 어젯밤 아이들과 빗길을 달려 공항에 남편을 마중 나갔다. 그 전날 눈이 내려 결항 된 비행기가 있었지만, 다행히 별일 없이 아빠도 함께한 오늘이라 감사하다.

그랜드 하얏트와 드림타워

이번에도 한 달 만에 남편과 함께하는 며칠이다. 생일에 수영장 물놀이를 하고 싶어 했던 첫째의 바람대로 늦은 생일 겸 졸업 축하로 호캉스다. 제주에서는 육지로 여행 가기 힘드니 계절과 상관없이 물놀이할 수 있는 호텔에 숙박하러 오게 된다. '솔로 지옥 3'이라는 예능 촬영했던 호텔이라는 광고가 어딘가에 붙어 있었다. 우리는 애들 지옥(?)이라 예능과 너무 딴 세상이다. 룸에 있는 리클라이너 의자에 앉아 자동 블라인드를 올려 야경 구경하던 첫째가 뜬금없이 부잣집 딸이 된 것 같다며 말을 뱉었다. 맙소사…! 처음이었지만 그런 말을 하다니, 우리 부부 살짝 당황스럽다.

엄마는 특가프로모션 숙박권 구매한 건데, 제 돈 주고 한 번씩 오기에는 부담스러우니까 네가 커서 돈 많이 벌어서 가렴. 수영장 물놀이가 젤 재밌다는 아이들은 실컷 놀고 방에 와서 또 거품 목욕하면서 시간을 보냈다. 제주도 고도 제한을 뚫고 랜드마크가 된 드림타워의 그랜드하얏트호텔 로비에 1만 송이 장미로 만든 하르방이 있었고, 한쪽에서는 미술 작품 전시가 이뤄지고 있었다. 제주 여행객이 많이 줄어들고 여행 비수기라 그런지 한적하게 시간 보낼 수 있었다. 제주도에서 가장 높은 건물의 꼭대기 층에 있는 라운지38에서 에프터눈 티 타임을 가졌다. 공항에서 이륙하는 비행기와 바다 구경하면서 또 한동안 아빠와 이별을 앞두고 소중한 시간을 보내는 아이들이다.

엄마를 도와줘

매주 토요일을 엄마와 함께 출근한 지 4개월이 지났음에도 아이들은 가게 오는 것을 좋아했다. 대평포구 근처에서 산책했던 아이들이 주변으로 산책 코스를 넓혀갔다. 첫째는 길고양이 깜댕이 간식을 알아서 챙기고 가게 곳곳에 핀 유채꽃을 꺾고 놀던 둘째는 이모의 유채꽃도 뺏어서 달아나며 장난친다. 둘째와 성향이 다른 첫째는 이모에게 유채꽃다발을 만들어 선물했다. 100가지 색 마커로 하얀 점토에 색을 입히고 알록달록 마카롱 만들기도 했다.

식재료로 쓰는 바질이 지금 시기에는 너무 비싸거나 구하기가 힘들어 직접 심기로 했는데, 아이들이 온 김에 놀이 삼아 바질 키울 화단 주변 정리와 잡초 뽑기를 했다. 엄마가 밭 가꾸려면 힘드니까 우리가 많이 도와주자면서 동생과 힘을 보태는 첫째였다.

불평 없이 엄마의 출근길에 따라와 주는 것만으로도 아이들이 나를 잘 도와주고 있는 건데 엄마를 도와주겠다고 나서는 모습이 고맙기만 했다.

엄마 대신 육아하는 첫째

퇴근 후 너무 힘들어서 소파에 계속 누워있었더니 첫째가 동생을 데리고 욕실 가서 양치를 봐주고 몸도 씻겨주었다. 첫째가 나서기 전에 내가 일어나서 해야 할 일이었는데 둘이 어쩌는지 궁금해서 가만히 지켜만 봤다. 물기를 닦아주고 로션 발라서 내복까지 꺼내 입혀줬다. 그러더니 엄마는 힘드니까 언니가 팔베개해서 재워주겠다며 학습기로 클래식 음악을 틀어놓고 동생을 토닥이다 먼저 잠이 들었다. 첫째의 배려와 예쁜 마음씨를 느끼는 게 한두 번이 아니다. 어릴 때부터 아빠가 부재해서 엄마를 도와주는 게 몸에 밴 건지. '내 배에서 이런 기특한 효녀가 나오다니!' 싶다가도 또래보다 일찍 철들고 있는 너에게 미안해진다.

둘째 반 선생님이 첫째에게 동생이 그렇게 좋냐고 물으셨는데 너무 좋아서 동생 10명 생겼으면 좋겠다고 대답했다며 전해 주신 적이 있다. 어린이집의 여러 선생님이 자매가 어쩜 그리 사이가 좋으냐며 칭찬도 여러 번 들었다. 첫째를 임신하고 출산하는 과정에서 이벤트가 넘쳤기에 둘째 계획을 접었는데 첫째가 동생을 낳아달라고 계속 이야기하는 바람에 용기를 냈었다. 둘째의 출산도 우여곡절이 많았다. 둘째 임신 중기에 교육 간 남편은 코로나19로 왕래하지 못하다가 막달을 다 보내고 출산 당일에 왔다. 남편이 몇 개월 동안 집을 비운 동안 둘째를 품은 나와 어렸던 첫째, 그리고 앙꼬와 지내면서 출산 당일까지 혼자 육아하면서 안아주고 업어줘야 했다. 진통이 시작되었는데 위험한 걸 알면서도 배를 잡고 남편을 데리러 가기도 했다. 그날 늦은 밤, 출산이 잘 끝난 줄 알았지만 멈추지 않는 피가 안에 고여 새벽에 응급수술을 하고 공황발작도 여러번 심하게 겪었다. 나열하기에 너무 많은 에피소드가 있지만 지금 와서 둘이 잘 지내는 모습을 보면 위험을 감수할 만했다는 생각이 든다.

남편이 둘째 200일에 섬으로 발령 가고 없던 1년 2개월 동안, 첫째는 엄마가 재활용 쓰레기를 내다 버리는 동안 우는 동생의 유모차를 밀어주며 자장가를 불러줬고 젖병을 물려주고 이유식을 떠 먹여주며 엄마와 함께 육아 했다. 그리고 엄마가 씻는 동안이나 화장실을 가거나 집안일 하는 동안 엄마를 대신해 동생과 놀아주곤 했다. 겨우 만 2~3살 때였다.

세상에서 엄마가 가장 웃기다 하는 첫째야.

세상에서 엄마가 가장 이쁘다고 하는 첫째야.

세상에서 동생이 젤 좋다는 첫째야.

엄마의 세상에서 가장 기특하고 사랑스러운 내 딸아, 오늘도 고마워.

5장.

유채꽃

온 세상을 노랗게…

입학을 축하해

첫째의 입학식 날이다. 서귀포의 번화한 곳에 지내지만, 배정받은 학교는 주변의 학교에 비해 규모와 학생 수가 작은 학교다. 강당에서 입학식을 하고 6학년 오빠의 손을 잡고 교실로 가보는 첫째의 뒷모습이 아른거린다. 담임선생님도 좋아 보이셨지만, 학교 안 시설이 생각보다 너무 잘 되어있어서 놀랐다. 외관이 오래되어 보이고 작은 학교라 내가 너무 기대하지 않았나 보다.

이제 언니와 함께 다니지 못하는 어린이집에서 형님 반에 올라간 둘째도, 초등학교에 입학한 첫째도, 새 학기, 새 친구, 새로운 선생님과 잘 적응하길 바라!

즐거운 학교생활

입학하자마자 급식이 너무 맛있어서 점심을 두 번씩 먹고 왔다던 첫째는 입학 첫 주부터 주말에도 학교 가고 싶다며 주말을 아쉬워했다.

입학식 다음 날부터 방과 후 수업과 돌봄 수업을 받다가 하원하고 태권도장에 갔다가 귀가한다. 입학식 하루만 엄마와 하교하고 매일 등원 길만 바래다주고 온다. 엄마의 도움 없이 종일 보내다 6시 15분쯤 태권도 차량에서 내리면 동생을 데리고 집에 스스로 들어오는데 너무 대견하고 기특하다. 잘 해낼 거라 믿었지만 그 이상으로 잘 지내주어 고마운 내 딸. 친구들과 조금씩 알아가는 재미와 스스로 많은 것을 해내는 성취로 가득한 이야기를 들으며 나는 마음으로 안도하고 있다. 새로운 것을 받아들이고 적응하기 바쁠 텐데 집에 오면 엄마를 도와주기도 하는 첫째는 엄마 눈에 그저 완벽, 그 자체다.

속상한 봄 소풍

아이들과 앙꼬, 모찌 다 데리고 봄 소풍을 나왔다. 킥보드, 간식, 돗자리, 모찌 이동 가방, 앙꼬 리드줄. 들어야 할 게 너무 많아 첫째의 도움을 받아보지만, 우리 집 아가들 모두 데리고 나오기는 처음이라 쉽지 않았다. 그래도 혼자 넷 데리고 가능! 엄마는 슈퍼우먼이니까!

자매가 간식을 먹는 동안 앙꼬 오빠는 얻어먹고 싶어서 아이들 옆을 지키고 있고, 모찌는 가방 밖으로 얼굴을 쏙 내밀고 주변을 관찰했다. 봄의 햇살이 좋은 날 소풍 나온 아이들은 즐거워했다. 간식을 다 먹은 자매는 신나게 킥보드 타고 놀았다. 그런데 조금 떨어진 곳에서 첫째의 울음소리가 들렸다. 약간의 코너를 돌면서 넘어진 첫째의 영구치 앞니 끝이 조금 깨져 버렸다. 다리에도 상처였다. 어쩔 수 없이 우리의 소풍은 접고 돌아왔다. 그나저나 영구치에 상처가 생겨서 큰일이네. 치과에 다녀와야겠다.

제주의 봄은 온통 노란색

3월이 되니 온통 유채꽃이 만개했다. 가게 주변에도 유채꽃을 많이 만날 수 있었다. 출근해서 틈날 때 포카치아 빵을 담는 봉투에 아이들이 가지고 놀다가 놔두고 간 도장 펜으로 꾹꾹 찍어 글자를 완성하고 주변 유채꽃들을 모아 담고 보니 예쁜 꽃다발이 됐다.

날씨가 너무 좋다. 친구들한테 사진으로나마 선물해 주고픈 제주의 봄이다.

모찌의 산책

여전히 초보 집사인 나는 산책을 좋아하는 고양이가 드물다는 걸 얼마 전에 알게 됐다. 그런데 모찌는 갑작스럽게 차가 지나가거나 사람이 근처에 지나가면 놀라서 숨어버리지만, 사람과 차가 없는 한적한 곳의 산책을 좋아하는 것 같다. 가끔 이동 가방에 넣고 함께 나가면 얼굴을 내밀고 여기저기 이리저리 살펴보고 구경한다. 얌전히 고개 내밀고 다니다가 집에 도착하면 스스로 가방에서 폴짝 나오는 귀요미다. 우리 가족에게 온 게 선물 같은 모찌는 아침에 일어나 방에서 나오는 가족들에게 다가와 몸을 비비고 머리를 쿵(헤드번팅)하며 반가워한다. 밤새 못 본 동안 보고 싶었다고 응석 부리는 것 같다.

모찌야~ 너도 앙꼬 형아랑 잘 잤어?

동생의 안전벨트부터 채우는 언니

뽀로로 & 타요 테마파크에 두 번째로 다녀왔다. 신나서 날아다니는 둘째와 다르게 이제는 시시하다는 첫째는 오늘도 야외의 큰 바이킹 맨 뒷줄에 타러 간다. 첫째가 커버려서 이제 세 번 오지는 못하겠구나 싶다. 둘째와 함께 타자며 실내의 작은 바이킹 타러 가니 누가 시키지 않아도 동생의 안전벨트부터 채우는 다정한 언니다. 나에게 오빠가 있지만 첫째가 나의 언니였음 좋겠다는 상상을 해본다.

가끔은 아들 같은 둘째

토요일 저녁 고깃집 놀이방에서 놀다가 발이 아프다고 온 둘째를 안아서 집에 왔다. 주말 동안 계속 아프다고 제대로 딛지 않고 뒤꿈치로 다녀서 월요일 오전 병원부터 갔다. 병원 가기 전까지 혹시라도 탈 날까봐 밖에 나가면 안아주고 업고 다녔다. 엑스레이를 찍어 보니 다행히 뼈에는 이상이 없다고 하셨고 활동을 제한하면 아이들은 금방 낫는다며 반깁스를 해주셨다. 보호 신발이 둘째가 좋아하는 보라색이라 매우 만족스러운 얼굴을 했다. 다정다감하고 차분하고 생각이 깊은 첫째와 다르게 둘째는 털털하면서 생각보다 몸이 먼저 움직일 때가 많고 활동적이다. 요즘 일춘기가 왔는지 엄마 말을 들은 척도 안 하고 대답도 안 한다. 한쪽 귀로 들어간 엄마의 말이 반대 귀로 빠져나가나 보다. 깁스도 둘째가 처음이다. 가끔은 '아들 키우면 이런 느낌일까' 생각할 때가 있었는데 또 한 번 느끼는 날이다. 둘째가 크고 나면 지금이 그립겠지? 요즘 엄마의 인내심을 자꾸 테스트하는 둘째지만 이 또한 지나가리~

우리가 느낀 봄, 함께 걷는 길

토요일 퇴근 후 집에 가려다 말고 유채와 갯무꽃이 핀 들판에 차를 세웠다. 제주에 와서 알게 된 꽃 중 갯무꽃도 너무 예쁘다. 지나는 길에 너무 예뻐서 참을 수 없었다. 내가 느끼는 제주의 봄과 풍경을 아이들도 기억했으면 좋겠다. "우리 내릴까?" "우리 가볼까?" 갑작스러운 엄마의 무드에 잘 따라와 주는 아이들이 고맙다. 함께 좋아해 주어 고맙다. 아이들과 이런 감정을 공유할 수 있어 기쁘다.

얘들아, 너희가 느낀 봄이, 우리가 갔던 길이 너무 예쁘지 않니? 예쁜 곳이 보이면 우리 또 내려서 함께 걸어보자.

오늘이 가장 예쁜 벚꽃, 오늘도 예쁜 자매

출근길의 예래동 벚꽃 터널과 퇴근길에 벚꽃 찾아갔던 서호호근 도로가 며칠 사이 너무 예뻐졌다. 벚꽃이 유명한 진해에 살다가 왔지만, 제주는 유채와 함께 볼 수 있는 벚꽃이 많아서 또 다른 느낌이다. 보고 있자니 아이들도 만개한 벚꽃을 보여주러 가야겠다 싶어서 태권도

장으로 곧장 갔다.

올봄 날씨의 변덕은 전국적으로 개화 시기를 맞추지 못해 꽃 없는 꽃축제가 일어났다.

지난 주말 같은 장소인 웃물교 벚꽃 축제 기간에 와서 즐겁게 놀다 갔지만 만개한 벚꽃을 보기에는 오늘이 딱! 이었다. 갑작스레 엄마가 도장에 온 것도, 예쁜 꽃 보러 가자고 무작정 가는 것도, 마냥 즐겁고 행복한 자매, 오늘도 엄마는 뿌듯하다.

렌즈구름, 그게 뭐야?

퇴근하다 저 멀리 UFO 같기도 하고 도넛 같기도 한 구름이 너무 신기했다. 찾아보니 높은 산 주변 날씨가 개기 시작할 때 난류와 산악지형이 만났을 때 가끔 나타나는 렌즈구름이란다. 그러고 보니 한라산 방향에 많은 비가 내렸다 그치기 시작할 때였다. 제주에 가끔 나타나는 구름이라는데 너무너무 신기하다. 제주에 살면서 처음 보는 게 또 늘었다. 아이들에게 찍어온 렌즈구름을 보여줬더니 신기해하면서 보고 싶어 했다. 이사 가기 전에 아이들과 함께 다시 볼 수 있을까?

닮은 듯 다른 자매

자매는 둘이 똑같은 옷 입는 걸 좋아해서 첫째가 입던 옷은 덜 입히게 됐었는데 가끔 언니 옷을 입은 둘째를 보면 그사이 정말 많이 컸구나, 닮은 듯해도 참 다르다고 느낀다. 성격은 더욱 다른 둘이다. 개구쟁이 동생을 엄마인 나보다 더 보호자처럼 챙기는 첫째다. 매번 그러는 것은 아니지만 동생이 혼자 어딘가로 나가면 걱정된다고 따라가 주고, 쉬 마렵다고 하면 화장실도 같이 가준다. 동생이 어지른 거 잔소리하면서도 치워주고, 도복 정리도 대신해 줄 때가 있다. 오늘은 둘째가 킥보드 타고 싶어 해서 첫째가 같이 나가줬다가 실수로 부딪혀 둘째가 아파했다. 첫째는 미안하다고 편지를 써서 간식과 함께 건네주는, 동생에겐 세상에서 가장 다정한 언니일 거다. 동생한테 잘 참아주고 양보해 주는 언니의 사랑하는 마음을 아는지, 둘째는 말은 안 듣다가도 언니를 잘 따르고 뽀뽀도 왕창 해준다. 앞으로 싸울 때도 많겠지만 서로 의지하고 사랑하면서 커 주길 바라.

꽃비를 맞으며

예래동에 꽃비가 내리기 시작했다. 엄마와 출근했다가 서울에서 오고 있다는 아빠를 기다리면서 꽃비를 맞으며 꽃놀이를 했다. 제주에서 봄의 시작과 끝을 완전하게 느낄 수 있는 처음이자 마지막이라는 생각에 하루하루가 예쁘고 소중하다. 제주에 이사 온 지 일 년을 넘기고 있다. 서울로 다시 이사 가기 전, 남은 제주 생활 동안 아이들에게 많이 보여주고 느끼게 해주고 싶은 날들이다.

우리는 바닥에 소복하게 깔린 벚꽃잎을 모아 던져보기도 하고 내리는 꽃잎을 잡아보기도 했다.

이승악 오름의 갯무꽃과 고사리

집순이 기질이 있는 첫째가 집에 있겠다고 버티다가 아빠와 매일올레시장으로 걷기 운동가고 둘째는 엄마와 이승악 오름으로 산책 다녀왔다. 오름 초입에 있는 들판에 갯무꽃이 가득했다. 둘째는 "내가 좋아하는 보라색"이라며 웃음 가득하다.

차를 타고 더 높은 곳으로 가봤다. 주말이라 나들이 나온 가족들이 많이 보였다. 그런데 사람들이 무언가를 하고 있다. 그 유명한 제주 고사리? 덩달아 나와 둘째도 고사리꺾기 체험을 했다. 고사리순을 보는 것도, 꺾어보는 것도 처음이었다. 엄마보다 고사리 더 잘 찾아내는 둘째도 제법이었다. 꺾는 손맛이 장난 아니라더니, 둘이서 고사리 꺾는 재미에 한 봉지를 채웠다.

그런데 이걸 어떻게 해야 하는지? 친정엄마가 음식 하실 때도 삶는

것만 봤지, 아는 게 없다. 친정엄마께 전화를 드려 물어보고 인터넷에 검색도 해봤다. 꺾어 오면 바로 삶아야 하고 아주 여러 번 헹궈내고, 한 번씩 물을 갈아 줘가며 한참 담가 뒀다가 말려야 된단다. 엄청난 일거리를 집에 들고 왔다. 개미와 거미와 진드기는 덤으로 따라왔다. 친정엄마와 영상 통화하면서 설명 들은 대로 데친 걸 보시더니 대견한 듯 고생했다 하셨다. 귀한 제주 고사리, 지금이 유일한 한 철이라 여기저기 고사리 따는 분이 많다. 생업인 분들도 계신단다. 이렇게 어렵게 먹는 귀한 음식이었구나. 고사리 꺾다가 길잃은 사람도 많은 시기이고, 고사리 장마라고 불리는 비가 잦은 제주의 봄이다.

성이시돌목장의 테쉬폰과 겹벚꽃

가끔 지나가 보기만 했던 성이시돌목장에 오늘은 잠깐 차를 세웠다. 성이시돌목장에서 유명한 이라크 건축양식 테쉬폰 앞에서 사진을 찍고 목장 건너편에 핀 겹벚꽃을 보고 왔다. 벚꽃이 지고 있는 시기자 겹벚꽃이 한창인 시기이다.

아이들이 놀면서 시간 보내기에는 아침미소목장이 좋지만, 잠시 들러 말을 가까이서 볼 수 있는 성이시돌목장만의 분위기도 멋있었다.

놀이동산 대신 놀이터여도 좋아!

열흘 전 걸린 코로나 후유증으로 몸 상태가 좋았다가 나빴다는 것을 반복하고 있다. 신화월드에 와서 점심을 먹고 테마파크에 데려가려고 나섰는데 밥 먹는 도중에 컨디션이 너무 나빠졌다. 이대로 집에 되돌아가면 아이들이 속상할 것 같아서 아쉬운 대로 신화관 야외 놀이터에 잠깐 들렀다. 아이들이 놀 동안 나는 벤치에 누워 휴식을 취했다. 높고 동굴처럼 막혀 있어서 무섭다고 하는 동생을 등에 업고 미끄럼틀 내려오는 첫째와 정말 무서운 게 맞나 싶을 정도로 재밌다고 깔깔대는 둘째의 웃음소리가 들려왔다. 놀이동산 대신 놀이터였지만 마냥 즐거운 아이들이었다.

결혼기념일 그리고 갑작스러운 퇴사

3주째 항생제와 진통제를 먹고 있다. 눈에 혈관이 터지고 공황장애는 심해지고, 혈압이 계속 높더니 170까지 오르기도 했다. 경련, 두통, 어지럼증이 계속됐고 컨디션 탓인지 자다가 공황발작이 심하게 왔었다. 3주 넘은 코로나 후유증으로 후각과 미각도 전혀 느끼지 못하고 있다. 운동신경 저하, 기억력 저하, 판단력 저하가 날이 갈수록 심해져 혼자 교통사고를 냈다. 차량은 며칠 동안 공업사서 수리하고 나왔다. 약은 이미 한 보따리다. 부모님과 남편은 혼자 아이들 돌보면서 출근하는 나를 말렸지만 내 욕심에 그러질 못했었다. 그런데 몇 주 사이 이제는 안 되겠다는 마음이 스스로 들었다. 그래서 1년간 내가 너무 좋아했던 일과 공간에서 갑자기 안녕했다.

하루 이틀 사이 결혼기념일인 것도 깜빡하고 있었는데 갑자기 꽃 배

달이 왔다. 아, 오늘이구나. 마음을 담은 메시지와 함께 온 꽃이 예쁘다. 하원하고 온 첫째도 선물이라며 색칠한 꽃을 내밀었다. 기특한 녀석.고마운 내 짝꿍, 함께 있지 못해도 항상 사랑해. 우리의 결실인 자매도 항상 사랑해!

겹벚꽃이 예쁜 회수동

아이들 등원시키고 서귀포 향토 오일장에 처음 구경 다녀왔다. 그리고 볼 일이 있어 근무하던 가게에 들렀다가 마트에 가기 회수동에 갔다. 마을 중간중간 돌담에 핀 겹벚꽃이 너무 예뻤던 회수동이다. 느슨하게 걸으며 겹벚꽃 나무들을 감상해 본다.퇴사하고 이틀 쉬고 컨디션이 잠깐 괜찮은 날이라 해야 할 일, 가보고 싶었던 곳을 돌다 보니 아이들보다 늦게 귀가했다. 의젓한 첫째가 집에 와서 엄마가 안 보이자 전화를 했다. 엄마가 어딘지 확인하고는 미세먼지 가득 묻어왔으니 씻을 준비 하라는 말에 동생과 함께 목욕 놀이 중이었다.

아빠가 없는 가족끼리 떠난 피난길

밤새 비가 많이 내린 토요일. 갑자기 전기가 나갔고 전력이 모두 끊겼다. 생활 가전, 전등을 못 쓰는 것부터 물도 쓸 수 없었다. 한전에서 긴급출동 했지만, 안전 감시자를 기다려서 진단받아야 한다고 했다. 긴급출동 나온 기사님께서 최악의 상황은 우리 단지 전부 전기가 끊긴 채 대공사가 들어가게 될 경우는 장기전이 될 수 있다는 이야기였다. 그렇게 된다면 어디 가서 어떻게 지내야 하는 건지 막막했다.

당장 어두운 집안이 무섭다고 난리인 아이들과 한 끼도 못 먹은 상황이었다. 첫째는 엄마보다 더 걱정 가득하다. 이왕 이렇게 된 거 "우리는 모험을 떠나는 놀이를 하자"며 진정시켰다. 강정의 해군아파트가 아닌 우리 단지에서 유일하게 소통하는 해군 가족도 함께 고민하고 해결해 줄 아빠가 없다. 아프리카에 파병 가고 없어서 연락조차 잘 닿지 않는 가정이다.

서로 전화를 주고받다가 일단 아이들 밥이라도 해결하자며 두 집 함께 고깃집에 모였다. 고기를 굽는 와중에도 각자 어디로 피난 가야 하는지 알아보느라 정신이 없었다. 강정마을에 숙박 가능한 해군 시설에도 예약이 다 차서 자리가 없다고 했다. 밥이 입으로 들어가는지 코로 들어가는지 정신 줄잡기가 힘들었다. 간신히 아이들만 챙겨 먹일 뿐이다. 남편에게도 소식을 전해 방법을 찾아봐 달라고 했다.

막막하고 답답하고 속상함에 화가 날 지경에 다다를 때쯤, 다행스럽게도 전력 해결이 됐다는 연락을 받았다. 어디서 숙박해도 집에 남아 있는 앙꼬와 모찌가 걱정인 상황이었는데 진짜 진짜 다행이었다. 엄마들도 그제야 한술 뜨기 시작했다.

아이들은 헤어지기 아쉬워했다. 산방산 근처 한 번은 꼭 가봐야지 했던 카페를 씻지도 못하고 슬리퍼 차림으로 갔다. 카페 앞 바닷가에서 아이들은 그저 즐거운 순간들뿐이었다.

놀면서 주워 온 해조류를 물이 고인 곳에 모아 놀이 했다. 다시 평화가 찾아온 것 같다.

오늘 두 엄마의 명줄이 0.1mm는 짧아졌을 거다. 아빠 없는 우리에게 이런 이벤트는 일어나지 말아줘, 제발!

남편, 거기서 뭐 해?

인터넷 기사보다가 대통령 행사 사진에 함께 찍혀진 남편을 발견했다. 아, 오늘 행사 갔구나. 집에서 못 보는 남편 얼굴과 소식을 이렇게라도 접하니 반갑다. 6개월간 떨어져 지내면서 나보다 VIP를 더 자주 봤을 남편이다. 우리 곧 합가할 수 있겠지? 한동안 바쁘면 언제 집에 올 수 있어?

코로나 후유증 때문인지 공황 증상이 자주 와서 남편이 더 곁에 있었으면 하는 요즘이다.

비체올린 카약 체험과 데이지

아주 오랜만에 제주 투어 패스 24 시간권을 끊었다. 몇 개월 사이에도 패스권의 업페나 조건들은 조금씩 달라져 있었다.

여름은 더울까 봐, 겨울은 춥고 볼거리가 없을까 봐서 가기를 미뤘던 비체올린에 다녀왔다. 데이지가 예쁘게 폈다는 소식이 들려 꽃도 볼 겸 카약 타러 왔다. 엄마 혼자 노 젓느라 힘이 들었지만, 벽에 부딪힐 때마다 아이들이 힘을 합쳐서 벽을 밀어 내주었다. 516 도로를 모티브로 했다는 물길 따라 솔솔 부는 바람에 봄의 분위기를 즐기기에 너무 좋았다.

계절마다 이쁜 꽃들이 피는 비체올린의 지금은 데이지 시즌이다. 능소화와 수국 피는 계절도 예쁠 것 같다. 엄마의 시선으로 아이들 모습을 사진에 담고 나니 첫째도 엄마를 찍어주겠단다.

명월 국민학교

얼마 전 많은 인기로 종영한 드라마 촬영 장소가 되면서 명월 국민학교 운동장이 조금 바뀐 듯하다.다른 집 아이들의 아빠가 철봉 위에 앉혀 사진 찍어주던 걸 본 자매가 나한테도 요구했다. 중간 칸에 앉게 해주려고 첫째를 들다가 힘 다 빠져서 낮은 칸에 간신히 올려주었다. 둘째를 중간 철봉에 앉히고 혹시나 위험할까 봐 아이들을 금방 내려줬다. 아빠 없어서 애들도 서운할 텐데 아빠 없으니까 못 해준다고만 자꾸 얘기하기도 참 그렇다. 그래서 엄마는 또 슈퍼우먼이 됐다고! 남편아, 보고 있나??

야크 마을의 서울 앵무새

제주에서 크리스마스트리 명소 중 한 곳이었던 서울 앵무새 카페는 아이들이 좋아하는 알록달록 색깔과 알 모형과 그림들이 있었다. 매장 안에는 아이들이 그림 그릴 수 있는 공간이 있고 산책로에 가면 캠

핑 분위기를 내는 놀이 공간이 있어서 휴식하며 시간 보낼 수 있었다. 아이들은 각자 색칠한 그림들을 모아 붙여서 그림책을 만들었다. 집에 올 때까지 소중하게 들고 다니더니 둘째는 잠자리 들기 전 자기가 만든 그림책으로 동화를 지어서 읽어달라나?

어쩌고~ 저쩌고…. 이래서~ 저래서….

엄마의 상상으로 열심히 읽어주니 꼬마 고객님께서 만족해하시며 잠자리에 들었다.

로봇 플래닛

직접 작동 시켜볼 수 있는 로봇들이 많아서 로봇을 좋아하는 꼬마들이 오면 너무 좋아할 곳이다. 공간이 넓지 않아서 한 시간 정도 짤막하게 놀다 나왔지만, 투어 패스권으로 오니 추가 입장료 없이 다녀올 수 있어서 괜찮았다. 공연 시간에 춤추는 로봇들은 몸치인 나보다 훨씬 더 잘 췄다. 공연이 끝나면 춤추던 로봇을 만져볼 수 있게 해주시는데 로봇을 눕히면 알아서 일어나는 게 신기했다.

이색 화장실의 끝, 벨진밧

박한별 님이 운영하는 벨진밧은 화장실이 독특하다고 해서 실물이 궁금했었다. 가파도에 가기 위해 모슬포항으로 가기 전 동선이 맞아 벨진밧에 다녀왔다. 메뉴를 주문해 두고 내부를 둘러보는데 매장 곳곳에 화장실 보고 놀라지 말라는 글이 붙어 있다. 나도, 아이들도 화장실이 급하지 않았지만 궁금해서 가봤다. 계단을 여러 칸 올라서야 변기가 있고 큰 나무를 살려두어 천장 일부가 뚫어져 있었다. 마주한 소감은 아주 신선하달까?

가장 궁금했던 건 화장실이었는데 마당 여기저기 너무 이쁜 곳이었고 주문한 시그니처 메뉴들도 예쁘고 맛있었다. 곳곳에 감성과 배려가 보이는 공간이었다.

가파도의 보리 물결

4년 전, 둘째의 첫돌 여행으로 청보리를 다 밀어버린 가파도에 왔었는데 오늘이 청보리 축제 마지막이라고 해 부랴부랴 승선권을 예약해 뒀었다. 마침 얼마 전까지 함께 일하던 동생들도 우리와 같은 시간대의 가파도행을 예약했다기에 모슬포항에서 만났다. 아이들은 이모와 삼촌을 만난 반가움을 주체하지 못하고 안기고 살을 부벼대며 온몸으로 애정을 표출했다. 배를 타는 동안 엄마와 앉지 않고 이모, 삼촌과 앉는 아이들이었다. 가파도는 몇 년 사이 못 보던 가게들이 생겼고 여러 드라마의 촬영 배경이 되기도 했다. 제주도 본 섬에 비해 가파도의 청보리는 살짝 노랗게 변해가는 중이었다. 어느 가게의 영업부장 길고양이한테 홀딱 빠져있던 아이들과 그곳에서 청보리 아이스크림을 나눠 먹었다. 둘째가 걷는 게 힘들까 봐 삼촌은 계속 목말을 태우고 다

한국남부발전㈜

녔고, 첫째는 이모의 손을 꼭 잡고 다녔다. 가파도를 반쯤 돌고 배 시간이 다가와 선착장으로 가는 길에 첫째가 4년 전 사진 찍었던 뿔소라 계단을 기억해 내기도 했다. 아이들이 자라서 오늘도 기억해 주면 좋겠다. 엄마와 아빠만큼 너희를 아껴주고 예뻐해 준 이모와 삼촌이 있었다는 것을, 함께 추억을 공유했다는 것을…

나와 아이들이 보리밭에 숨어있다가 '짠'하고 나타나면서 깔깔거리는 영상을 남편에게 보내주었다.

'마눌~ 웃는 모습이 너무 이쁘네, 진짜. 애들은 눈에 안 들어오네. 진짜 진심으로! 몇 번을 돌려보는지 모르겠네.' 아주 짤막한 영상을 보고는 답변을 보낸 남편의 메시지였다. 세상 달콤한 소릴 해댄다, 부끄럽게. 그럼 우울할 때마다 보라는 내의 대답에 안 그래도 그럴 참이었다고 한다. 남편의 마음과 표현이 나는 좋아서 그새 또 웃고 있었다.

책 활동가? 에세이작가? 내가 할 수 있을까?

요즘 내가 하는 것, 매주 가고 있는 곳은 책 활동가 과정을 배우고 있는 '돌봄 on'이다. 강의를 수료하고 나면 그림책 놀이 연구 동아리 실습으로 이어지고 책 활동가로서의 역량을 키우게 된다. 어쩌다 행운처럼 찾아온 배움인데 이사 가게 되면 연구 활동까지는 함께하지 못할 것 같아 걱정이 앞선다. 함께 배움을 하면서 맺은 인연들이 '함께 육아 에세이'라는 주제로 개개인이 글쓰기를 하고 있다며 엄마의 활주로를 소개해 줬다. 책 활동가 수업에 참여하게 된 것도 우연인데 또 우연히 엄마의 활주로 이야길 듣게 된 것이다. 처음 듣자마자 내가 해볼 일이 아니라고 생각했다. 그런데 그냥 일기여도 되고 아이들 사진이 담긴 포토 북이어도 된다니.

첫째의 학습을 맡고 계신 학습기 선생님과 3년 넘게 매달 한 번씩 통화를 하고 있다. 매년 어린이집을 옮기고 매해 선생님이 바뀌는데, 얼굴을 보지도 않고 같은 선생님과 3년 넘게 이어가고 있는 것도 인연인 것 같다. 선생님과 시간이 쌓이다 보니 서로의 근황과 안부를 주고받는 사이가 됐다. 어느 날 선생님께서 이런 말을 해주셨다.

"어머님, 아이들과 지내는 얘기와 나누는 대화들을 책으로 내보셔도 좋을 것 같아요."

그때는 선생님께서 한 말을 대수롭지 않게 생각하며 그저 먼 나라 얘기, 다른 사람의 얘기라고 여겼다. 선생님은 사람 일은 모르는 거라며 "기회가 되면 해봐도 너무 좋을 것 같다"고 하셨다. 그때는 그저 우리 모녀의 성장과 서로 노력하는 모습에 대한 칭찬을 예쁘게 포장해주시나 보다 했었다.

엄마의 활주로, 엄마의 에세이 출간에 관한 이야기를 듣고 학습기 선생님이 하셨던 말이 떠올랐다. 나에게 긍정의 씨앗을 남겨주셨던 말에 용기가 생겼다. 나도 싹을 틔워봐도 되려나?

책 활동가? 에세이? 작가? 생각해 본 적는 영역에 발을 들였다. 진짜 작가가 된다는 마음이 아니라 육아 일기, 나의 일기를 옮겨 아이들이 자라면 선물해 주어야지 하는 작은 마음으로 용기를 내 본다.

어린이날 행사 진행은 엄마가!

어린이날 하루 전, 행사가 인근에서 크게 열린다고 하여 찾아갔다. 10시에 행사 시작이었고 우리는 40분을 넘겨 도착했다. 그런데 대부분의 체험 부스가 벌써 다 마감이라니! 케이크 만들기 체험은 오후에 다시 받는다고 하여 기다리는 중에 줄 서다 지친 둘째의 표정을 보니 이건 아니다 싶다. 그렇게 줄을 섰는데도 대기 5번이란다. 버블쇼 조금 보고 포토존에서 사진만 몇 개 찍다가 서귀포산업과학고 학생들이 만든 카트만 타볼 수 있게 됐다. 케익만들기 대신 엄마가 사주겠다! 에어바운스 타려면 한 시간은 걸리니 줄 서도 타기 힘든 거 엄마가 태워주겠다! 하면서 집으로 왔다. 1년 넘게 묵혀둔 에어바운스를 집 앞 여유 공간에 전기선 끌어다 꽂고 설치했다. 아이들이 좋아하는 초코케이크도 사 왔다. 어린이날 행사장에서 마주친 함께 피난 아닌 피난 갔던 이웃 해군 가족도 함께했다. 또 아빠 없는 두 가정이 뭉친 거다. 놀이 시작 전부터 신난 아이들이다. 어린이날이 이래야지. 아까 같은 울상을 하게 만들다니! 엄마 빚장 푼 김에 잘 놀 거라. 에어바운스와 케이크를 준비할 동안 과일이랑 샐러드를 준비해서 가져오신 덕분에 든든하게 배도 채워가며 아이들은 비가 올 때까지 놀았다. 아이들이 행복한 시간 보낸 것 같아 참 다행이다.

많은 비가 내려 고마운 어린이날

어린이날 전날 오후부터 비가 내렸다. 많은 비가 내린다는 소식에 우리도 전날 미리 놀았던 터다. 어린이날 행사에 가야 하는 남편은 정작 우리 집 어린이들과 함께할 수 없다. 그런데 육지에도 많은 비가 내린다는 소식에 갑자기 행사가 취소되었다고 새벽부터 움직여서 비행기 타고 날아온 남편이다. 남편이 탄 비행기가 오전에 이미 비바람이 강해 착륙이 지연되고 기체가 많이 흔들렸다더니 제주에는 호우경보 재난 문자와 결항 소식이 이어졌다. 결항 될까 봐 서둘러왔다던 남편 칭찬해! 남편이 와줘서 나에게도 어린이날인 것 같아!

발 담그고 놀 수 있는 발트하우스

어린이날의 대체 휴일로 월요일까지 연휴였다. 비 오는 일요일은 아빠와 함께 집에서 잘 놀고 오늘은 엄마가 눈여겨보던 카페 이오스와 발트하우스가 있는 구엘 공원에 다녀왔다.브런치와 음료를 파는 카페

는 이오스, 매력적이고 프라이빗한 미니 자쿠지와 바비큐장을 품은 펜션은 발트하우스라고 하셨다. 그리고 인공폭포와 흐르는 물길 따라 구엘 공원이라 이름 붙인 작은 동화마을 같은 곳이었다. 카페도 펜션도 몇 년간 정성 들여 건축한 곳임에도 가격마저 착한 곳이다. 브런치를 먹으며 아이들이 물놀이하는 모습을 보며 연휴를 마무리했다.

효리네 민박, 소길별하

이효리 님이 예전에 살면서 민박집 예능을 찍던 소길별하에 예약하고 남편과 오붓하게 데이트하러 왔다. 오랜만에 데이트라 안 입던 옷을 꺼내입었는데 남편은 편한 복장이었다. 내 차림새가 좀 과하냐고 물었더니 "전혀~"라면서 집에 내려올 때 제대로 챙겨입지 않은 자기가 과하다고 말하는 남편이었다. 운전하면서도 손 잡아주고 여기저기 다니면서 손 잡아주고, 사진 잘 찍을 줄 모르니 원할 때까지 찍어주겠다며 몇백 장을 찍어버리는 나의 맞춤형 인간, 내 남편이다. 둘이 오랜만에 얼굴 맞대고 사진 찍고 보니 갑자기 짝꿍 얼굴이 예전보다 늙어 보였다. 남편한테 "갑자기 훅 가서 얼굴 흘러내린다."고 놀렸다. 사실 나도 그사이 함께 늙었다. 이왕 이렇게 늙고 있는 거 같이 잘 늙어 가보자, 짝꿍아!

노아의 방주, 방주교회

집으로 오는 길에 가끔 지나다니던 방주교회에 들렀는데 바람이 너무 불어왔다. 남편이 찍어준 사진을 보니 난 그냥 바람의 (여)신. 그

자체였다. 온몸으로 바람 때려 맞고 어쩔 수 없이 귀가 당했다. 진짜 오랜만에 둘이 나선 데이트였는데 바람으로 마무리하다니. 그래도 짝꿍 있으니까 즐겁다. 내일이면 또 한동안 이별이다.

어버이날 아빠는 또 안녕

어버이날이다. 저녁 늦은 비행기를 타는 아빠를 배웅해 주자며 태권 도장을 빠졌다.

아빠랑 헤어지기 전 제주시로 넘어가서 같이 저녁 먹는데 노을이 너무 예뻤고, 아이들이 선물해 준 편지와 카네이션이 예뻤고, 아빠와 작별하자마자 보고 싶다고 힝힝거리다가도 아빠도 우리처럼 보고 싶을 거라며, 씩씩하게 마음 다잡는 모습도 예뻤고, 오전에는 병원 진료 대기 중에 서로 안아주고 있는 모습도 예뻤고, 진료 의자에 앉아서 서로 번갈아 가며 손 잡아주고 있는 모습도 예뻤다. 고마워. 엄마 아빠가 너희를 낳아서 소소한 일상마저 예쁨 투성이란다.가끔은 화나면 엄마 괴물이 나타나긴 하는데, 그건 엄마가 조금 더 노력해 볼게!

마지막 고사리 말리기

이사가 확정되었다. 6월 말에 서울로 가게 되는 시기가 확정되었을 뿐인데 내 머리는 어지럽고 마음은 두근거리고 숨이 벅차다. 불안할 때 먹는 필요시 약을 먹고 진정해 보려고 애쓰는 중이다. 언젠가 가야 함을 알고 있고 늘 비 계획적이지만 항상 정해져 있는 이동일뿐인데 그 사실을 받아들이는 것부터가 나는 마음의 숙제인 것 같다.

지역을 옮겨 다니면서 늘어난 건 약들이다. 그래서 이번에는 그나마 가장 익숙하고 그나마 가장 길게 머물렀던 위례로 다시 가려고 애를 썼다. 남편과 떨어져 지내는 기간이 길어짐에도 이게 맞는 것인지 여러 차례 고민하면서도 말이다. 다른 군인 가족들은 잘 해내는 것만 같아 보이는 건지, 나만큼까지 힘들지 않을 뿐인 건지 모르겠지만 내 생각과 따로 노는 내 몸이 유난스럽다. 공황장애, 불안장애, 광장공포

증 등 우울증의 카테고리 안에 나뉜 나를 따라다니는 단어들과 함께 한 지 수 년째다. 약으로 잘 통제되고 있는 것 같지만 환경이 바뀌거나, 해야 하는 외부 일정이 있거나, 시간의 압박을 받거나, 혼자서 많은 일을 감당해야 할 때마다 몸이 스트레스를 받으면서 자꾸만 찾아오는 불편함이다. 악몽을 꾸고 꿈에서 힘들었던 것이 잠이 깬 현실에서 내 몸은 의지와 상관없이 떨리고 들썩거리고 튕겨 나가기도 하며 경련과 단순 발작을 오고 간다. 남편이 있으면 약도 챙겨주고 낙상하지 않게 붙잡거나 안아주면서 다정한 톤으로 컨트롤해 주면 그나마 회복이 빠르지만, 예전에는 과호흡과 경련으로 응급실에 실려 가서 진정제, 진경제를 맞으며 약으로 안정될 때까지 혼자 버텨야 했다. 응급실 출입이 불가한 어린 첫째를 불 꺼진 대학병원 로비에서 놀아주고 재워주느라 남편은 내 곁을 지킬 수 없어서 혼자 있어야만 했다. 며칠 전에 따서 데치고 물에 담가 독소를 빼던 고사리를 집 앞 볕 좋은 곳에 널어두었다.처음 해보고는 일이 너무 많다 싶었는데 친정 부모님, 시부모님, 남편과 같이 일하는 사람들 나눠줄 생각에 몇 번이나 더 욕심내서 다녀왔었다. 위험하지 않은 곳으로 나만의 고사리 포인트도 생겼다. 딸한테도 비밀이라는 말이 있는 고사리 포인트인데 몇 번 다니다 보니 눈치껏 좋은 자리를 찾게 되었다. 고사리를 따러 가면 허리를 수백 번을 숙이고 집에 가져와서도 일거리 한가득 이지만, 고사리를 따는 외진 공간 안에 나 홀로 자연과 마주하고 있으면 시간 가는 줄 모르고 집중하게 된다. 그게 좋아서 또 가고 또 가고… 취미가 없는 나에게 제주에서의 두 번째 봄이 만들어 준 취미가 됐다. 그런데 이제는 그만 따러 가야겠다.오늘은 그냥 하고 싶은 얘기가 많다.나 제주 떠난다고 아쉬워해 달라, 나 다시 서울로 가니 반가워해 달라, 그런 얘기부터 하고 싶었는데 좀 전에 정신과 가서 잔뜩 받아온 약들을 보고 있으니 난감하다. 상담 치료도 약물 치료도 어쨌든 나의 무의식을 자꾸 거스르는 것 같다. 평생 친구처럼 가족처럼 반려 약이 되고 있지만, 언젠가 이별도 해봤으면 좋겠다.

인 · 지 · 감 별난 북 트럭과 첫째의 그림 선물

지난 금요일 서귀포교육청에서 진행한 마을로 찾아가는 인 · 지 · 감 별난 북 트럭 행사에 첫째가 너무 좋아하겠다 싶어 신청해서 다녀왔다.우리가 만난 책 읽어주시는 선생님께서 책 보따리에서 꺼낸 실존 인물 그림책 '애기 해녀 옥랑이 미역 따러 독도가요'라는 책을 읽어주시고 독서 후 주사위 게임으로 제주어, 제주속담, 해녀 관련 문제들을 풀어보면서 놀이했다. 애기 해녀 옥랑이 내용을 듣다가 울컥하는 마음에 첫째 몰래 눈물을 글썽거렸다. 독후 놀이 내내 첫째가 너무 즐거워하는 모습만으로도 충분히 의미 있는 시간이었다. '냉장고가 사라졌다'의 작가와의 만남에서 손을 번쩍 들며 차분하면서도 상상력 있고 논리적인 이야기하는 첫째를 보면서 몸도 마음도 생각도 잘 크고 있구나 싶어 참 고맙고 대견했다. 엄마도 분발해서 책 두 권이나 선물 받고 북 트럭에서도 두 권을 받았다. 유목 컬러링 코너에서는 우리가 고른 유목에 천연가루로 색을 낸 물감으로 꾸미고 원하는 형태로 제작 받아서 왔다.

책을 좋아하는 첫째를 위해 엄마가 내어준 두 시간은 가볍게 접근한 내 마음보다 너무나 알찼고 유익하고 즐거웠고 값졌다. 첫째는 전날 학교에서 환경교육 시간에 직접 화분에 심고 꾸며온 메리골드 화분을 가지고 왔었는데 오늘은 엄마한테 선물하고 싶었다며 메리골드 그림을 내밀었다. 저번에 다녀온 가파도의 청보리밭 돌담 위에 올려놓은 것처럼 그렸다고 조잘거리며 설명해 준다. 그림자도 그렸길래 해가 어느 쪽에서 비춰야 하냐고 물으니 첫째의 예쁜 마음만큼 대답까지 완벽했다. 엄마는 너에게 책 시간을 선물했고 첫째는 엄마에게 그림을 선물했고, 우리는 너무 사랑하는 마음을 또 한 번 나눠 가졌다. 사랑해 딸!

비자 숲 힐링센터에서 2천 원의 행복

일할 때는 비자 숲 힐링센터 예약하고 가기가 쉽지 않았는데 퇴사하고 나니 아이들 데리고 갈 시간이 생겼다. 취학아동은 다랑이 놀이터, 미취학 아동은 아랑이 놀이터만 이용할 수 있어서 첫째는 엄마와 동생도 없이 다랑이 놀이터에서 놀았다. 잠깐씩 둘째를 혼자 두고 첫째한테 다녀오기도 했지만, 이런 상황에서는 어쩔 수 없이 첫째를 믿고 의지하게 된다.첫째보다 몸 쓰는 게 예사롭지 않던 둘째는 들어가자마자 클라이밍을 멋지게 성공하고 내려온다. 돌 때부터 몰래 신발 벗어놓고 놀이터에서 도망 다니고 쓰레기 주워서 입에 집어넣고 또 도망 다니던 아이였다. 어린이집 체육 시간에 남자친구들보다 더 잘한다고 칭찬받고 오는 둘째가 정말 대단하다. 그 와중에 애교는 또 어찌나 많은지! 매력 넘치는 나의 두 번째 아기다.

송당 동화마을

메뉴를 주문하면 2시간 뒤에나 음료를 받을 수 있을 정도로 한동안 핫하디 핫했던 송당 동화마을의 스타벅스는 국내 최대의 리저브 매장

이다. 뒤에 오픈한 도로리 숲과 코리코 카페로 분산된 덕분인지, 또 연이어 오픈한 파리바게뜨 동화마을 점과 미스터밀크 덕분인지 아무튼, 이제 줄을 길게 서지 않아도 된다. 멋진 공원을 산책하면서 동화마을의 여러 매장을 가보는 재미가 있어 여행객이 오기 좋을 것 같다. 멀지 않는 스누피 가든과 송당 동화마을을 다녀오면 하루가 끝날지도 모르겠다.

기당미술관

일요일, 집과 가까운 기당미술관에 다녀왔다. 작은 미술관이긴 하지만 관람 10분 하고선 놀이는 1시간째였던 아이들이다. 도민 할인에 둘째는 6세 이하여서 셋이 고작 650원을 내고 관람 가능했다. 밤사이 비가 많이 와서 집에만 있었더니 답답했던 아이들이 기당미술관에 와서 숨통이 트이나 보다. 쭉 한번 둘러보고 미술관 한편에 있는 휴식처에서 놀기 바쁜 아이들을 지켜보면서 엄마는 한라산을 감상했다.

바닷가에서 캠크닉

함께 일하던 동생들과 화순금 모래 해수욕장 근처 바닷가에서 만났다. 바닷가에서 고기 구워 먹자며 약속을 잡던 동생들이다. 다른 일정을 끝내고 갔더니 텐트만 없을 뿐 캠핑 분위기를 내고 이미 준비를 다 해두어 편히 먹고 쉬기만 했다. 아이들 올 시간에 맞춰 먼저 나왔지만, 동생들이 준비해 준 양고기와 음식들이 맛있기도 했고 그곳의 바다 풍경과 하늘마저 열심히 일했던 하루라 길지 않은 시간을 꽉 채워 주었다.

고마워 얘들아! 우리가 함께한 추억이 이렇게 또 쌓여 가는구나.

스승의날 일일 선생님

작년에 이어 올해도 스승의날 행사로 일일 선생님이 되었다. 올해는 '색깔 찾기'라는 책을 읽고 독후활동으로 100가지 팬톤 컬러 엽서로 반에 있는 색깔을 찾아내는 놀이를 했다. 아이들은 교실에 있는 교구나 장난감 등 자유롭게 색깔을 찾아왔다. 반 친구들이 찾은 색깔을 모두 모아 하트를 만들고 담임선생님께 반 친구들의 마음을 전달하는 것으로 수업을 마무리 지었다. 둘째는 날 보고 "엄마 선생님!"이라고 부르며 자기 엄마가 온 것을 기뻐했다.

서귀포 농업기술센터

책 활동과 육아 에세이 활동을 함께하는 한 가정의 아이들과 서귀포 농업기술센터에서 만났다.

미로 정원, 잔디밭, 연못, 초가, 녹차밭, 전망대, 꽃밭 외에 전시, 체험, 연구, 여러 동의 감귤 관련 하우스들이 있는 곳이었다. 누구든지 올 수 있게 개방되어 있는데 넓어서 다 돌아보지도 못했지만, 충분히 너무 좋은 곳이었다. 미로 속 길을 따라 전망대까지 올라가 보고, 나무에 걸린 풍경소리를 내고, 꽃팔찌를 만들어 차고, 숨어있는 산딸기 보석을 따서 맛보고, 잔디로 된 작은 오르막에 썰매를 타고 내려오고, 카트에 솔방울 잔뜩 모아 놀이했다. 연못의 연꽃도 보았고 녹차 잎의 생김새도 관찰했다. 정말 많은 것을 할 수 있는 거대한 놀이터였다.

아이들이 자유롭게 놀 동안 엄마들은 소통의 시간을 가졌다. 서로 어우러짐을 배우는 귀중한 시간이 되었다.

내가 만나고 어울리는 곳 어딜 가도 나의 둘째가 막내인 경우가 대부분이어서 언니·오빠들이나 동갑내기 친구들 사이에서의 사회성만 봤었다. 그래서 동생을 대하는 모습을 볼 기회가 없었는데 함께 한 가정의 한 살 어린 동생에게 생각보다 자상하고 다정하게 챙기고 함께 놀이하는 걸 보게 됐다. 삐지고 토라졌다가 금세 풀어져 또 함께하는 모습을 보니 엄마의 눈에는 너무 새로웠다. 언니와 함께하며 배운 양보와 이해를 실천하는 둘째의 또 다른 예쁨을 발견했다.

둘째야, 멋있어! 잘했어! 대견해!

엄마, 뒤돌아 있어봐!

둘째가 차에서 잠든 사이, 첫째와 둘만의 바다 데이트를 했다. 섶섬이 가장 가까운 땅 앞에 꽃이 심어진 돌담이 있었다. 첫째와 사진 찍으며 시간을 보내는 중이었다. 첫째가 나더러 돌 위에 올라 서보라 하더니

"엄마, 뒤돌아 있어 봐!"

아빠처럼 버튼을 수없이 눌러가며 사진을 찍어댄다. 조금은 기우뚱한 사진이지만 엄마를 너무 예쁘게 담아주는 아이. 엄마가 너희들 모습을 담기만 했는데 어느새 먼저 말하지 않아도 엄마의 사진도 남겨주려고 하는 너의 마음이 나에겐 감동이다.

엄마의 자존감 지킴이

가깝지만 와보지 않았던 보목동의 바다도 맑은 하늘처럼 예쁘다. 윤슬이 너무 예쁜 바다처럼 예쁜 첫째가 엄마를 사진에 담아줬다.

"엄마는 늘 예뻐. 항상 공주님 같은데 오늘은 더 예뻐! 엄마 너무 예뻐서 내가 찍어주고 싶었어."

엄마에게 끝없는 사랑을 눈으로 귀로 마음으로 알게 해주는 나의 첫째는 엄마의 자존감 지킴이다.

멈추는 시간은 다음을 준비하는 시간이 된다

힘들었지만 잘 지내려고 노력했던 날들.

그리고 중간중간 행복했던 시간.

이제 에세이 글쓰기를 멈출 때가 되었다.

아직도 못 가본 곳이 더 많고 제주를 알기에는 짧은 1년. 여행만으로는 부족했던 제주의 모습을 보았고 느꼈고 사랑했다.

2023년 4월부터 2024년 6월까지 제주살이 450여 일을 앞두고 그 중 틈틈이 기록된 412일간의 제주의 추억과 나의 감정을 정리해 본다. 이사 전 남은 시간은 제주 생활을 마무리 짓고 아이들 학교와 유치원 옮길 준비를 해야 한다. 잠깐 멈추다 또 걸어 나가며 노력하고 잘 지내보려 애쓰는 나의 마음을 다져 본다.

몇 번을 여행했던 제주였기에 마냥 낯설지 않을 것만 같았던 이곳은 내 삶을 갖다 대보니 너무나 낯설었던 탐라국이었다. 나는 육지에서 섬으로 머물다 가는 이방인이 되었고 긴 여정을 끝낸 여행객이 되었다.

다음 지역에서는 이방인이 아니라 토박이처럼 잘 지내보고픈 나의 바람을 잘 이뤄 보겠노라 다짐하며 마침표를 찍어 본다.

글을 마치며...

제주도에 살면서 나의 일기장 속의 기록과 고백이 누군가에게

정보가 되길,

위안이 되길,

공감이 되길,

응원이 되길.

그리고 우리 집 꼬맹이들에게 오래도록 기억이 될

좋은 추억이 될 수 있기를.

어느 날 찾아올 사춘기 소녀들에게 항상 함께 한

가족이 있음을 느끼기를.

성인이 되고 어엿한 사회인이 될 너희가 도전하고 경험하는

용기를 가질 수 있기를.

마지막으로 언젠가 엄마의 마음을 조금은 알아봐 줬으면 하는

나의 욕심을 알아채 주기를 바라며…

2023년 4월 3일 ~ 2024년 5월 18일

412일간의 기록을 마칩니다.

탐라국 412일 해군가족의 제주살이

발 행 | 2024년 07월 31일
저 자 | 이정숙
그림 | 한서윤, 한정윤
사진 | 이정숙, 한대웅, 한정윤
표지사진 | 한정윤
디자인 | 오은정
인권표현검수 | 이지민
바른우리말검수 | 이지민
후원 | 제주특별자치도, 제주문화예술재단
주관 | 서귀포 오아시스
미디어에디터 | 최인서
작품편집, 에이전트 | 박산솔, 이정숙, 이선경
펴낸이 | 한건희
펴낸곳 | 주식회사 부크크
출판사등록 | 2014.07.15.(제2014-16호)
주 소 | 서울 금천구 가산디지털1로 119, SK트윈타워 A동 305호
전 화 | 1670 - 8316
이메일 | info@bookk.co.kr

ISBN | 979-11-410-9862-9

www.bookk.co.kr

2024 엄마의 활주로 '함께육아에세이'의 취지에 맞게 작가의 감정 표현과
아이의 언어 표현을 지키는 방향으로 교정 교열 하였습니다.

본 책은 강원교육모두체, 학교안심(확장)바른돋움체가 사용되었습니다.

본 책은 제주특별자치도와 제주문화예술재단의 후원을 받아 제작되었습니다.

Jeju JFAC 제주문화예술재단